Sevgili Ercun'a

Doğduğu mahallenin tarihini — kendi özel eklerimle — sunmaktan *bahtiyarım!* Acaba, bir altmışbeş sene daha geçince St. Dimitri nasıl bir yer olacak?

Ekim 1998

Osmanlı İstanbulu'ndan Bir Köşe

TATAVLA

ORHAN TÜRKER

TARİHE TANIKLIK

*SEL YAYINCILIK

*SEL Y A Y I N C I L I K

Babıali Caddesi Birlik Han No: 20/1
Cağaloğlu–İstanbul
Tel. / Faks: (0212) 511 10 05

Sel Yayıncılık 76
Tarihe Tanıklık 2

Osmanlı İstanbulu'ndan Bir Köşe
T A T A V L A

O r h a n   T ü r k e r

Birinci Baskı
1998

© Sel Yayıncılık

ISBN 975-570-068-4

Dizi Yönetmeni
İrfan Sancı

Uygulama ve Ofset Hazırlık
Sel Yayıncılık

Film
Repar

Baskı
Dur Ofset

İkibaşlı kartalın kanatları kırıldığı zaman,
İstanbullu Rumlar göç yollarına düştüler.
Hiç kimse artık İstanbul'un Türkleşmesinin
zamanının geldiğine inanmak istemedi.
Ama gerçek olan bu. İstanbul şimdi Türkleşti.
Bizim bildiğimiz o şehir masal oldu.
Geri dönme ümidi kalmasa da;
Güzel vatanımızı hiç unutmayacağız.

Vizantinos, Y.K.
Ta Ellinika Tatavla
Tis Polis İ Klronomia adlı manzum yazıdan bir bölüm.
Atina, 1981, s.123

Karakteristik Tatavla evi.

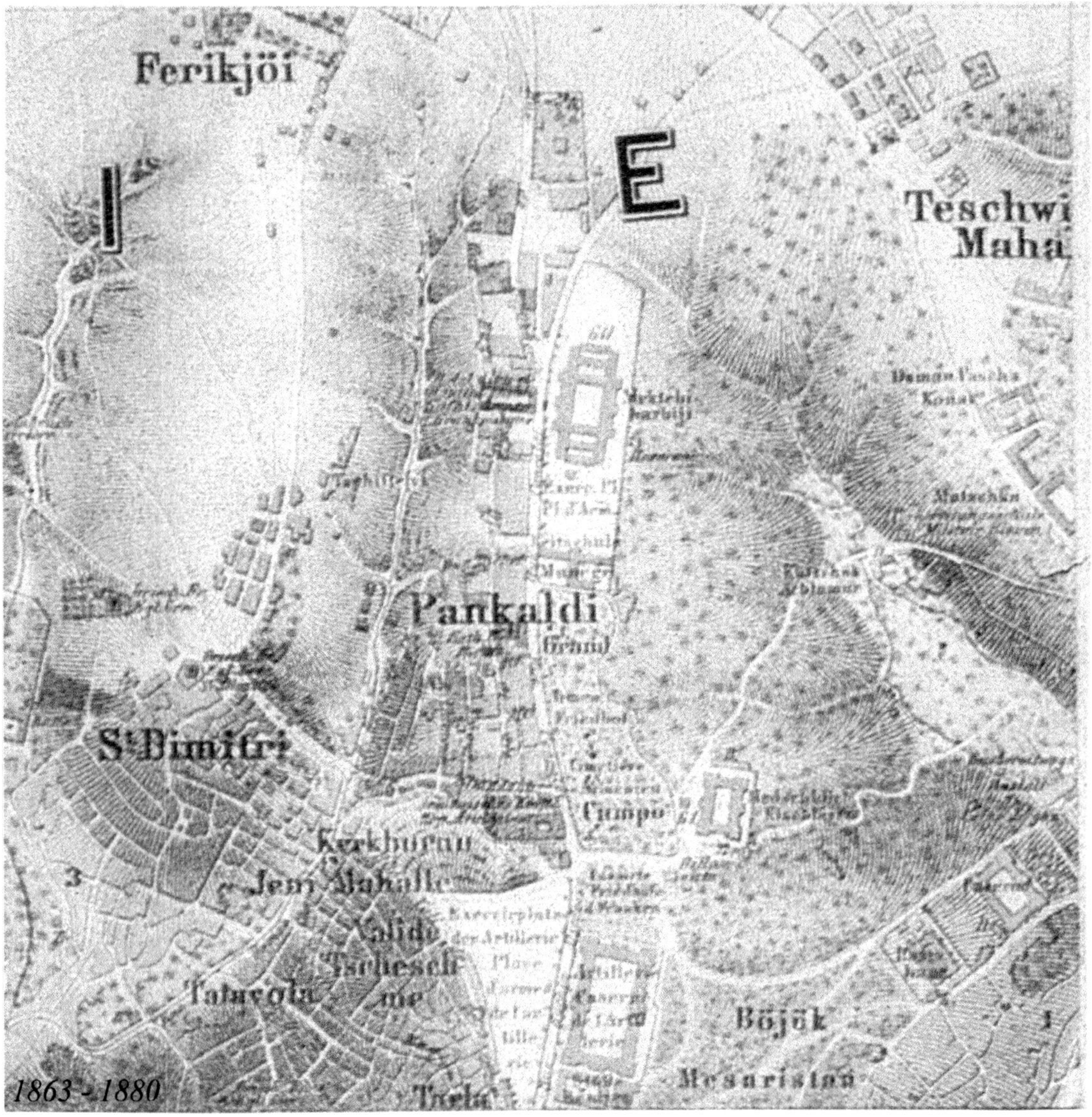
Ferikjöi
I
E
Teschwi
Mahä
Pankaldi
St Dimitri
Kerkburnu
Jeni Mahalle
Valide
Tscheschme
Tatavola
Campo
Böjük
Mesaristan
3
1
1863 - 1880

İÇİNDEKİLER

TATAVLA'NIN YERİ

Tatavla ya da bugünkü adı ile Kurtuluş semti kabaca Kasımpaşa, Yenişehir, Dolapdere, Sinemköy, Feriköy, Cinderesi ve mezarlıklarla çevrili bir İstanbul köşesidir. Semt, İstanbul'un Beyoğlu yakasındaki yüksek tepelerden birisinin üzerine ve eteklerine yayılmıştır. Başka bir deyişle Taksim Tepesi ile Okmeydanı Tepesi'nin arasında ve her ikisinden derin birer vadi ile ayrılan bir tepedir. Semtin merkezinde yani tepenin zirvesinde üç nokta ele alınırsa; deniz seviyesinden yükseklik Sefa Meydanı'nda 75 metre 20 santim, Ayios Dimitrios Kilisesi'nin önünde 79 m. 20 cm. ve Kurtuluş Caddesi'nin başında eski Ararat Gazinosu'nun önünde 84 m. 45 cm.dir. Semtin eteklerinde bulunan Evangelistrias Kilisesi ile tepedeki Ayios Dimitrios Kilisesi arasındaki yükseklik farkı 53 m. 60 cm.yi bulur.

Cumhuriyet döneminde İstanbul'un idari bölünmesi yeniden düzenlenirken; burası Taksim İlçesi'nin Beyoğlu ve Şişli nahiyeleri arasında ikiye bölünmüştür. 1954 yılında Şişli bağımsız bir ilçe olunca bu defa da ağırlığı Beyoğlu İlçesi'nde olmak üzere Beyoğlu ve Şişli ilçelerinin sınırları içinde kalmıştır.

1927 yılında Cumhuriyet döneminin ilk nüfus sayımı yapılmadan önce çıkarılan 1003 sayılı kanunla İstanbul'daki tüm sokak, cadde ve meydanlara Türkçe kökenli yeni isimler verilmiştir. Bu nedenle Tatavla'da daha önce mevcut olan Rumca kökenli sokak isimleri değiştirilmiştir.

Ernest Mamboury'nin 1925 tarihli İstanbul Rehberi'ndeki şehir planında semtin ismi hâlâ Tatavla olarak görülmektedir. 1929 yılında meydana gelen büyük yangından sonra semtin ismi de değiştirilmiş ve bugün kullanılmakta olan Kurtuluş adını almıştır. İstanbul Belediyesi'nin 1934 yılında bastırdığı Şehir Rehberi'nde semtin adı Kurtuluş ve tüm sokak isimleri Türkçe'dir.

Tatavla'nın çekirdeğini bugün Beyoğlu İlçesi'ne bağlı olan Yenişehir ve Hacı Ahmet Efendi mahalleleri ile Şişli İlçesi'ne bağlı Eskişehir Mahallesi'nin bir bölümü oluşturmaktaydı.

Tatavla'daki bazı sokakların eski ve yeni isimleri

Eski adı	Yeni Adı
Kilise Arkası	Omuzdaş
Ayazma	Lokumcu
Aya Tanaş	Yeni Alem
Araba Meydanı	Er Meydanı
Çeşme Meydanı	Sefa Meydanı
Marki Kalfa	Dev Süleyman
Papayanni	Remzi Baba
Aya Kiryaki	Teşrifatçı
Polidefkos	Mekkareci
Kosti Kalfa	Azak
Hristodulos	Civan
Zarifi	Zerafet
Despot	Kokoroz
Kalipso	Çakmak
Yanaki	Can Eriği
Mimar Andrea	Koçyiğit
Papazoğlu	Gülleci
Kilise	Hacı İlbey
Lazari	Hacı Zeynel
Hacı Yanako	Kabadayı
Fotika	Baba Dağı
Hacı Kosti	Varyemez
Çapato	Çavdar
Hristoduli	Ekşi Nar
Hristo	Yeni Asır
Hrisso	Ali Ağa
Papaz Köprüsü	Yaya Köprüsü
Akarca	Akağalar

TATAVLA'NIN TARİHİ ve HALKININ KÖKENLERİ

Tatavla, Osmanlı İstanbulu'na serpilmiş pek çok sayıdaki renkli yerleşim birimi arasında, diğerlerinden hiçbirisinde görülmeyen bir özelliğe sahipti. İstanbul'un birçok yerinde 1960'ların ortalarına kadar Rum karakteri görülmekle birlikte; hiçbiri burası kadar katıksız Rum olmamıştır. Diğer birçok semtte Rumlar, Türk, Ermeni, Musevi ve Frenklerle karışık olarak yaşamışlardır.

19. yüzyılın ortalarına kadar çok fakir bir Rum işçi mahallesi olan Tatavla, bu tarihlerden sonra 20. yüzyılın ilk çeyreğine kadar İstanbul'da Pera'dan sonra en kalabalık ve zengin Rum topluluğunu barındırmıştır.

Gülhane Hattı Hümayunu'ndan sonra Tatavla, Osmanlı İmparatorluğu'nun yönetim merkezi olan Dolmabahçe, Çırağan ve Yıldız Sarayları'ndan sadece bir kaç kilometre ötede, Şarkın mistik havası ile Pera'daki Frenk yaşantısının karışımı bir kültüre sahip, neredeyse otonom ya da yarıbağımsız denilebilecek kadar özgür, nüfusu 20.000'e yaklaşan canlı bir Rum kasabası görüntüsünü vermektedir. Kiliseleri, ayazmaları, okulları, meyhaneleri, bağ ve bahçeleri ile tam bir Rum gettosudur.

Tatavla olarak isimlendirilen tepe, Beyoğlu'nun Kuzeybatısı ile Kasımpaşa'nın Kuzeyi'nde yer alır.[1]

Semtin en eski kilisesi, aynı zamanda bu köye ilk adını da vermiştir. 16. 17. ve 18. yüzyılda İstanbul'a gelen yabancı gezginler Kasımpaşa'nın arasındaki tepede Ayios Dimitrios isimli küçük bir köyün varlığından söz ederler. Bu nedenle bazı metinlerde ve haritalarda bu yerleşim merkezinin adı Ayios Dimitrios, Ay Dimitri, St. Dimitri veya St. Demitre olarak geçer.[2]

Tatavla kelimesinin kökeni Rumca "Stavli", "Ta Tavla" yani

1.Papadopulos, N.Ermis O Kerdoos İti Embriki Ekiklopedia, Venetia, 1817 s.403
2. Imperiu Orientale Sive Antiquitates Constantinopolitanae Paris, 1711. Post.pag.448 "La Ville et le Port de Constantinople".

ahır, ahırlar kelimesinden gelir. Bir başka yazara göre ise, Tatarca kökenli Türkçe bir kelime olan Tavla kelimesi varlıklı kişilerin çok sayıda atlarının bulunduğu alan anlamına kullanılmıştır. Türkçe "at tavlası" kelimesi zaman içinde Rumlaşarak "Ta At Tavla" veya "Tattaula" şeklinde söylenir olmuştur.

İstanbul'un Türkler tarafından fethinden önce boş olan alanda Bizanslılar döneminde Galata'ya yerleşmiş olan Cenevizliler'in ahır ve kuyularının olduğu sanılmaktadır. Fetih'ten hemen sonra da Tatavla'dan Kağıthane'ye kadar uzanan geniş ve boş alan Padişah atlarına otlak olarak seçilmiştir. Daha sonra oluşan semtin Tatavla adını almış olması yukarıdaki nedenlere dayandırılmaktadır.[3]

16. yüzyılda İstanbul'a gelen gezgin Gerlach 12 Haziran ve 29 Ekim 1576 tarihlerinde iki defa Ayios Dimitrios Kilisesi'ni gezdiğini yazmaktadır.[4]

İstanbul'un Osmanlılar tarafından alınmasından sonraki iki yüzyıl içinde, daha önceleri Cenevizliler'in atlarının ve seyislerinin yaşadığı ve de Ayios Athanasios isimli küçük bir kilisenin bulunduğu tepe üzerinde yeni bir yerleşim alanı gelişmeye başlamıştır. Kasımpaşa'da bulunan Ayios Dimitrios isimli kilise camiye çevrilince; Rumlar burada bulunan Ayios Dimitrios ikonasını Kasımpaşa'nın tepesinde bulunan Ayios Athanasios Kilisesi'ne taşımışlar ve bu ikonanın gelmesi ile de kilisenin adı değişerek Ayios Dimitrios olmuştur.

Asıl Tatavla, aynı adı taşıyan tepe ile bunun Okmeydanı, Kasımpaşa ve Taksim yönlerindeki yamaçlarıdır. Tatavla'nın Taksim yönündeki eteklerinde bulunan Evangelistrias (Yenişehir-Dolapdere) semti, 19. yüzyılın ortalarında Tatavla'nın çok kalabalıklaşması ile oluşmuş ve Tatavla ile birleşmiştir.

3. Hrisovergis, G. Anamikta Konstantinupolis, 1860 5.5/9
4. Keramevs, Ath. P. Nai Tis Konstantinupleos Kata To 1503-1604. O En Konstantinupolis Ellinikos Filologikos Silligos Singrama Periodikon Knstantinupolis, 1904. Tmos KH(28), s.118-124

Tatavla kelimesi çeşitli yıllarda, farklı metinlerde farklı şekillerde yazılmıştır. Tatavula (1604), Taula (1663), Tatagula (1677), Tataulon (1705). 19. yüzyılın ortalarından sonraki yazılış ve söyleniş şekli Tatavla'dır. Rumca olarak Tatavla'da yaşayan erkeklere Tatavlianos ve kadınlara da Tatavliani denilirdi.

İstanbul'un fethinden sonra buraya yerleşim, Kanuni Sultan Süleyman devrinde, tahminen 1530'larda başlamıştır. Kanuni zamanında Ege Adaları'nın büyük bir kısmının Osmanlılar tarafından alınmasından sonra Osmanlı donanması, Venediklilerle ve Ege'deki korsanlarla karşı karşıya kalmasından dolayı gücünü artırmak ve her sene sefere çıkmak zorunda kalmıştır. Seferden dönen Osmanlı donanması, çoğu Rum kökenli olan korsanlardan yakalanıp esir alınanları da beraberinde İstanbul'a getirirdi. Bu esirler gemicilikten iyi anladıkları için önemi gün geçtikçe artan Kasımpaşa Tersanesi'ne çalışmaya gönderilir olmuşlardır. Tersanedeki pek çok iş için hünerlerine ihtiyaç duyulan bu esirler, itimat kazandıktan sonra azat edilir ve özgürce yaşamalarına izin verilirdi. Zamanla bu kişilerin, Müslüman Kasımpaşa'nın az ilerisine, o zamana kadar boş olan Tatavla'ya yerleşmeleri doğal bir zorunluluk ve sonuç olmaktadır.

1566 yılında Sakız Adası'nın Piyale Paşa tarafından 70 parçalık bir donanma ile kuşatılıp alınmasından sonra, gözüpek denizcilikleri tüm Akdeniz'de ün yapmış olan Sakızlı Rum gençlerinin bir kısmının Kasımpaşa Tersanesi'nde Osmanlı donanması için çalışmaları uygun görülmüştür. O tarihlerden sonra Sakız Adası'ndan gelen veya zorla getirilen Rum gençlerinin çoğu bir daha Sakız'a dönememişler ve İstanbul'un diğer köşelerinde yaşayan Rum kızları ile evlenerek, tersanenin yakınında ve Müslüman işçilerin semti Kasımpaşa'nın az ilerisindeki Tatavla tepesinde kendi mütevazı Rum-Hıristiyan mahallelerini oluşturmuşlardır. Böylece Tatavla halkının büyük bir kısmının köken-

1910'larda Dolapdere'den Tatavla'nın görünüşü.
Altta Evangelistria Kilisesi, sağda Tatavla'ya çıkan Akarca Yokuşu,
tepede selvi ağaçlarının arasında Ayios Dimitrios Kilisesi.

lerinin Sakız Adalı olduğunu söylemek pek hatalı olmayacaktır. Sakız Adası'nın Osmanlı Devleti'nden ayrıldığı 1912 yılına kadar Sakızlı Rumlar ile Tatavla arasındaki ilişkiler sürmüştür. Rum tersane işçileri ile ailelerinin oturduğu bu küçük ve fakir köy, zamanla büyümüş ve Yunan bağımsızlık hareketinin patlak verdiği; Osmanlı-Rum ilişkilerinin bozulduğu 1821 yılı ilkbaharına kadar Kaptanpaşaların himayesi altında korunmuştur.

Rumların epey uğraş vererek elde ettikleri, 1793 tarihli bir fermana göre, köye Rum Ortodokslardan başka millet ve dine mensup kişilerin yerleşmesi yasaklanmıştır. Bu kendine has durum, aşağı yukarı 20. yüzyılın ilk yıllarına kadar geçerliliğini korumuştur.

Hammer, 1822'de yayınlanan "Konstantinopolis und Bosforos" adlı Almanca eserinde Tatavla'dan oldukça kötü bir şekilde söz ediyor: "Ay Dimitri veya Türkçe adı ile Tatavla, bir tepenin üzerinde dar sokaklarla gruplaşmış berbat evlerden oluşan bir semttir. Denizcilerin ve tersane işçilerinin uğrak yeri olan Hasköy, Kasımpaşa, Galata ve Pera meyhanelerinin yanı sıra Tatavla'nın da ayrı bir şöhreti vardır. Ahlak açısından en düşük insanlar buradan başka hiçbir yerde barınamazlar. Tatavla halkın en alt tabakasının eğlence ve sefahat yeridir. Eski Frikya ve İyonya'nın ahlaki çöküntüsü, buradaki taverna ve meyhanelerde dans eden dansöz ve köçeklerle adeta ölümsüzleşmiştir. Dansların çoğu, ilk çağın putperest ayinlerini hatırlatan figürleri sergiler."

Yunan Elefherudaki Ansiklopedisi'nin "Tatavla" maddesinde ise şu bilgiler var: "İstanbul'un tanınmış Rum mahallesidir. Haliç'in kuzeyinde Kasımpaşa'nın üzerinde ve Pera'ya komşu bir yerdedir. Bir tepe üzerine yayılmış olan Tatavla, dar sokakları ve ahşap evleri ile kalabalık bir semttir. Eskiden beri halkının misafirseverliği ile ünlüdür. Okulları, hayır dernekleri, tarihi kiliseleri ve spor faaliyetleri ile canlı bir sosyal hayatı vardır."

Sefa Meydanı · 1983, bugün yerlerinde apartmanlar var.

Geçen yüzyılda Paris'te basılan "Constantinople" isimli kitabında ise Edmondo de Amicis kendi gözüyle Tatavla'yı şu şekilde tanımlıyor.[5] "Diğer bir tepeye doğru tırmandık ve kendimizi şehrin bir başka kenar mahallesi olan Ay Dimitri'de bulduk. Buradaki halkın tamamı Rum. Sakin görünüşlü ihtiyarlar, dal gibi delikanlılar, melodili konuşmaları ile havayı dolduran saçları örgülü kadınlar, ortalıkta serbestçe dolaşan domuz ve tavuklarla oynayan kurnaz yüzlü ufak çocuklar."

Zamanla yerleşim tepenin Güney ve Doğusundan Ayios Dimitrios Kilisesinin bulunduğu zirveye yayılmış, 1835'lerden sonra ise, kilisenin batı ve kuzeyine doğru genişlemiştir. Bu durum, yerleşim bölgelerindeki suyun çeşmelere dağılımı ile de doğrulanmaktadır. Kayıtlara göre 1798 yılında tamir edildiği be-

5. E.de Amicis, *Constantirople Paris*, 1878, s.57-60.

lirtilen ve bu nedenle daha eskiden mevcut olduğu bilinen su haznesi Ayios Dimitrios Kilisesinin dışında, Mandra Meydanının kuzeydoğusunda yer almaktaydı. Mesohori Çeşmesi (1798), Arnakiu ve Manolaka Çeşmeleri (1813), Su Yolu Çeşmesi (1820) hep kilisenin doğu ve güneyinde yer alırlar.

Yüzyılımızın başında, Tatavla'nın sınırları Beyoğlu istikametinde Ayios Konstantinos (Hamalbaşı) ve Feriköy cihetinde Ayion Apostolon kiliselerine bağlı olan ve Rum yerleşiminin oldukça sık görüldüğü diğer iki semte kadar dayanmıştı. Tuhaf ama gerçek olan şudur ki; Osmanlı İmparatorluğu'nun başkenti İstanbul'un göbeğindeki Tatavla semtine Türkler 1923'lere kadar adım atmamışlardır. Müslüman İstanbullular "Küçük Atina" adını verdikleri Tatavla'dan hep uzak durmaya çalışmışlardır. Halk arasında "Ne lazım sana Tatavla'da bakkal dükkanı" şeklinde eski bir deyiş vardır.

Osmanlı yönetiminin belki zaafı, belki aşırı iyi niyeti, belki de dış güçlerin özellikle Ortodoks aleminin hamisi Büyük Rusya'nın baskıları sonucu Tatavla o kadar serbest kalmıştır ki; 1920'lerin işgal altındaki İstanbul'unda rahatça Yunan bayraklarının çekildiği ve halkının Yunanistan'la birleşmek arzusunu açıkça beyan ettiği bir yer haline gelmiştir.

Tatavla'yı çeviren dört Osmanlı karakolu Kasımpaşa yönünde Hacı Ahmet, Dolapdere cihetinde Merdivenler ve Yenişehir ile Sinemköy istikametinde Su Yolu karakollarıdır. Ancak Osmanlı polisi semtin içinde hiçbir zaman dolaşmaz; hele Araba Meydanında hiçbir zaman görülmezlerdi. Osmanlı devletinin herhangi bir tebligatının duyurulması istenirse; bu görev, Ayios Dimitrios Kilisesinin zangocu çağrılarak ona verilirdi. Zangoç, yüklendiği tellallık görevini elindeki kalın sopayı taşlara vurarak, Tatavla'nın sokak ve meydanlarında dolaşarak yerine getirirdi. Osmanlı Sultanının fermanı Rumca olarak bağırılarak halka duyurulurdu. Bu adet, iki adım ötesindeki camisi, tekkesi bol kalabalık Müslüman mahallesi Kasımpaşa'nın hemen yanıbaşında 1914'lere kadar sürmüştür.

Kasımpaşa Tersanesi'nde Tatavyalı Rumlar, Direkçibaşı (Arhikatortopios), Burgucubaşı (Arhitriptis), Oymacıbaşı (Arhigliptis), Abacıbaşı (Arhiraptis), Varilcibaşı (Arhivarelopios), Mimar (Arhitekton) gibi görevlerde bulunmuşlardır.

Skarlatos Tu Vizantios, 1862 yılında Atina'da yayınlanan "İ Konstantinuópolis" adlı dev yapıtının 2. cildinde Tatavla'yı şu şekilde anlatıyor: "Bu havası güzel semti, Avrupalılar orada bulunan kilisesinin ismi ile bağdaştırarak St. Dimitri olarak adlandırırlar. Eskiden Ayazmataki denilen yerde 3 yıl kadar önce, Ayios Athanasios adına ithaf olunan yeni bir kilise inşa edilmiştir. Bu kilise, İstanbul'un Türkler tarafından fethinden sonra kubbeli ve yüksek çan kuleli olarak inşa edilmiş olan ilk Hıristiyan mabedidir.

Çok daha eski olan Ayios Dimitrios Kilisesi, Kasımpaşa Tersanesi'nde çalışan Girit'ten, Mani'den, Ege Adaları'ndan gelmiş olan Rum işçiler tarafından yaptırılmıştır. Tatavla semtinin büyük bir kısmı, rastgele yapılmış, ahşap evlerden oluşur. Bu evler Beyoğlu'nun batısında ve Kasımpaşa'nın tepesinde kümelenmiştir. Tatavla, Beyoğlu'ndan Kasımpaşa vadisi ile ayrılır. Bu vadinin batı yönünün büyük bir bölümü bahçelerle kaplıdır. Doğu tarafı ise tamamen evlerle dolmuştur. Bir zamanlar kiraz ağaçları ile dolu olan bu yere Kerasohori (Kirazlıköy) denilirdi. Ancak bu bölgede yaşayan kadınların oynaklığı ve sadakatsizliği yüzünden şimdi buranın adı Keratohori'ye (Boynuzluköy) çıkmıştır. Taksim yönüne doğru, Neapolis (Yenişehir) adını alan bölge, kötü şöhretli ve tehlikeli bir yerdir."

Yüzyılımızın başında, İstanbul'daki Rum ilkokullarında okutulmak üzere hazırlanmış bir Rumca Sosyal Bilgiler kitabında ise Tatavla şöyle tanıtılıyor: "Tatavla güvel ve havadar bir semttir. Beyoğlu'nun kuzeybatısında aynı adı taşıyan bir tepenin üzerine kurulmuştur. Halkının tamamı Rum'dur. Tatavla, Beyoğlu'ndan derin bir vadi ile ayrılır. Vadide kalan mahalleye Neapolis (Yenişehir) adı verilir. Burada her hafta Pazar günleri büyük bir pazar yeri kurulur."

Richard Lewinsohn'un "Esrarengiz Avrupalı Zaharoff" 6 adlı kitabında Tatavla aşağıdaki gibi anlatılıyor: Fakir Tatavla semtinde bile yaşam, Anadolu dağlarındakinden çok farklı görünüyordu. Aya Dimitri Kilisesi'ne çıkan yollar eğri büğrü ve pisti. Pencerelerde demir parmaklıklar olmasa, bilmeyen birinin bu viranelerin Türklere değil de Rumlara ait olduğunu anlaması olanaksızdı. Halbuki gerçek her yerde insanın karşısına çıkıyordu. Sokaklar, yüzyıllar boyunca burada oturup, Padişah donanmasına gemiler yapan ustaların adlarını taşıyorlardı. Burada gemilerin yelken direklerini inşa eden direkçibaşılar, burada da fıçı yapan varilcibaşılar otururdu. Bu sokak silah ustalarının, bir sonraki ise tornacılarla marangozların sokağıydı. Bu Rumların büyük bir kısmı Zaharoflar gibi güneyden Küçük Asya kıyıları ile Adalardan gelmişlerdi. Seferden dönen Padişahlar, bu insanları köle olarak getirmiş ve İstanbul'un girişine yerleştirmişti. Tatavla Rumları 19. yüzyıla kadar hürriyetlerini ve emniyetlerini ağır vergiler ve Türk zaptiyelerine sürekli hediyeler vererek sağlamak zorunda kalmışlardı. Fakat baskı ve aşağılamalara karşın bu halk yine de kökeninden gurur duyuyordu. Tatavla, doğunun dört bir yanına yayılmış Helenler için bir tür buluşma yeriydi. Tatavla'daki Rum topluluğunun birlik ve beraberliği, türünde örnek gösterilebilecek cinstendi. Haksızlığa uğrayarak hüküm giymiş bir Rum'u kurtarmak veya bir memura rüşvet vermek için para toplamak gerektiğinde hiç kimse elinden geleni ardına koymazdı. Bu memur, büyük ya da küçük bir idare hizmetlisi ya da yasakçı denilen basit bir mahalle zaptiyesi olabilirdi.

6. R.Lewinsohn (çv.C.Muhtaroğlu) Esrarengiz Avrupalı Zaharoff. İstanbul, 1991 s.13-14.

TATAVLA HALKININ MESLEKLERİ VE SOSYAL HAYATI

Tatavla'ya ilk yerleşim başladıktan birkaç yüzyıl sonra, Ege Adalarından gelenlerle İstanbul Rumlarının karışmasından oluşan Tatavla tipleri ortaya çıkmıştır. Bunlar kendine has karakterleri ve adetleri olan, Doğu ile Batı karışımı bir hayat tarzına sahip insanlardır.

Yüzyılımızın başında, Tatavla'da oturanların bir kısmını tüccarlar, bankerler, banka memurları, mağaza sahipleri ve öğretmenler oluşturuyordu. Halkın daha fakir kesimi ise seyyar satıcılık, arabacılık, sakalık ve hammallık yapardı. Komşu Türk mahallesi Kasımpaşa gibi Tatavla'nın da tulumbacı ve külhanbeyleri meşhurdu. Zaman zaman tüm İstanbul halkını dehşete düşüren azılı canilerin veya güzel ve ünlü yosmaların da çıktığı görülürdü. İstanbul'un işgal yıllarında sivrilen ve sadece Türklere musallat olan Hrisantos bunların en tanınmışlarından biriydi. Osmanlı polisini uzun zaman uğraştırdıktan sonra, 1920 yılının Eylül ayında Tatavla'da Direkçibaşı Sokağındaki bir evde kıstırılmış ve ölü olarak ele geçirilmişti. Ölümüne Rumların da pek üzülmediği söylenir. Tatavla güzeli olarak tüm İstanbul'a nam salan metresi Efimiya'nın bu olaydan sonra ortadan kaybolduğu ve bir Yunanlı kaptanın peşine takılarak bir daha dönmemek üzere Yunanistan'a gittiği rivayet edilir.[7]

Tatavla'da faaliyet gösteren ve isimleri İstanbul'da duyulmuş olan 60 kadar ayakkabı atölyesi Osmanlı başkentinin en iyi ayakkabılarını üretirlerdi. Diamandaki, Tomazi, Plimenu, Dimitriyadi, Sporidu ve Arabacıoğlu başlıcalarıdır.

Tatavla halkı, bütün İstanbul Rumları gibi akşamcılığa, eğlence, dans ve müziğe düşkündü. Yaz geceleri biraz meze ve mü-

---

7. R.E.Koçu, *İstanbul Ansiklopedisi*, İstanbul, 1968, cilt 9 s.4948.

zik eşliğinde bağ ve bahçelerde başlayan alemler bazen sabahın ilk ışıklarına kadar sürerdi. Kış aylarında ise, Tatavla'nın zengin kesimi Beyoğlu'nun ünlü otelleri Pera Palas ve Tokatlayan'da birbiri ardına düzenlenen hayır cemiyetlerine ait balo ve müsamerelerde boy gösterirlerdi. Tatavla'da düzenli müzik eğitimi veren dernekler vardı. Ancak halkın müziğe düşkünlüğü sadece bu derneklerin faaliyetlerinden kaynaklanmıyordu. Çok eski zamanlardan beri, kiliselerde ilahiler okuyarak Bizans müziğini yaşatan kabiliyetli gençlere rastlanırdı. Akıp geçen yıllar içinde Tatavla'da kendine özgü bir müzik geleneği şekillendi. Ege Adalarından atalarının getirdiği kıvrak nağmelerle Osmanlı İstanbulu'nun Şark fantezilerinin karışımı, Rum müziğine yeni bir renk getirmiş ve bu akım Osmanlı sınırlarını da aşarak Atina'da bile yankılanmıştı. Tatavla halkı, içlerinde kanayan ve bitmek tükenmek bilmeyen yaratıcılıkları ve yaşama sevinçleri ile Helen alemine canlı bir müzik geleneği armağan etmiştir. Mandolin, armonika, kanun, ud, santur gibi müzik aletlerinin yanı sıra; laternalar da Tatavla halkının çok sevdikleri müzik parçalarını etrafa yayarlardı. Sirto, Kasapiko, Zeybekiko gibi halk oyunları oynanırken, neşeli bir müzik her zaman kendilerine eşlik ederdi.

Edmondo de Amicis "Constantinople" adlı eserinde, geçen yüzyılda Tatavla'da gördüğü bir tavernayı şöyle anlatıyor: "Burası içinde tiyatro oynanabilecek kadar büyük, ancak sokak kapısından ışık alan ve parmaklıklı yüksek ahşap bir kerevetle çevrili bir yer. Bir tarafta kocaman bir ocak var. Adamın biri telaşla balık kızartıyor ve iştah açıcı mezeler hazırlıyor. Öbür tarafta ise, ayaklı kadehlere beyaz ve kırmızı şarap dolduran, korkunç görünüşlü birinin durduğu tezgah var. Önde orta yerde ise, arkalıksız alçak sandalyeler ve bunlardan birazcık yüksek, kunduracı tezgahını hatırlatan masalar bulunuyor. İçeride ayak takımından Rum ve Ermenilerden

oluşan bir kalabalık vardı. Önce bizi alaya alırlar diye çekini-
yorduk. Fakat dönüp bakmak tenezzülünde bile bulunmadı-
lar."

İstanbullu yazar Maria Yordanidu, çocukluğundan hatırladı-
ğı Tatavla'yı şu şekilde anlatıyor: "Tatavla'da eskiden at ara-
bası bile yoktu. Ağır hastalık halinde veya çok önemli gün-
lerde kullanılan sedyeler vardı. Bunlar içinde bir kişi otura-
cak şekilde yapılmışlardı ve üstleri kapalıydı. Kapı ve pence-
releri vardı. İç kısımları genellikle deniz mavisi ya da gül ku-
rusu atlas kumaşlarla kaplı olurdu. Bir kişi önden bir kişi de
arkadan sırıklarla tutarak bu sedyeyi ve içindeki yolcusunu
taşımaya çalışırlardı. Akşamları sokaklardaki gaz lambalarını
yakan bekçinin bir görevi de kalın sopası ile yol ağızlarında-
ki taşlara sertçe vurarak inananları kiliseye çağırmaktı. Aynı
sopa mahalledeki ölümleri duyurmak için de taşlara vuru-
lurdu. O zaman perdeler ve pencereler aralanır ve kadınlar
ölenin kim olduğunu iyice anlamak için birbirlerine seslenir-
lerdi. Kadınların arasında iyi bir dayanışma vardı. Tatavla'nın
Madam Katina'ları, Madam Mariyonga'ları hiçbir zaman kim-
sesizleri ve öksüzleri ortada bırakmazlardı. O günlerde Ta-
tavla'da herkesin tanıdığı deli Eleniça bile onların arasında
asla açlık ve yalnızlık hissetmeden yaşayıp gitti. Tatavlalılar
sıra ile onun karnını doyururlar, Yortu günleri giydirirlerdi.
Paskalya sabahları deli Eleniça başındaki yeni kırmızı kurde-
lası ile sevinç içinde ortalıkta dolaşırdı.

Tatavla bir tepenin üzerine yayılmıştı. Hem şehir, hem
kır havası olan bir semtti. Ayios Lefterios Mezarlığı'nın bile,
mezarlıklara mahsus korkunç bir görüntüsü yoktu. Aksine
ulu ağaçları, yabani çiçekleri ve cıvıldayan kuşları ile insana
korkudan çok huzur verirdi."

Maria Yordanidu "Avlumuz" adlı başka bir kitabında Tatavla'daki eski yıllardan şöyle söz ediyor:[8] "Ben küçük bir kızken, Tatavla'ya Kalyopi teyzeye misafirliğe gittiğimiz zaman sevincim sonsuz olurdu. Kalyopi teyzenin evi Akarca Yokuşu ile Ay Dimitri Kilisesinin birleştiği bir yerlerdeydi. Burası tam oyun oynanacak bir evdi. Avluları, bodrumları, gizli merdiveni hâlâ hatırlıyorum. İçeri girdiğim zaman kendimi mermer döşeli, kare şeklinde bir giriş holünde bulurdum. Sağ taraf duvardı. Solda ise mutfağa açılan büyük bir kapı vardı. Tam karşıda ise bahçeye doğru açılan bir başka camlı kapı mevcuttu. Bahçe eskiden iyi günler görmüş olmakla birlikte benim hatırladığım yıllarda oldukça bakımsızdı. Camlı bahçe kapısının mutfak tarafında uzun ve dar bir kapı daha vardı. Bunu açtığım zaman kendimi bir vapur merdiveni kadar dik olan dar ve karanlık merdivenlerin başında bulurdum. Buradan kazara düşen bir insanın yaşaması mucize olurdu. Adeta bir evden çok kale girişine benziyordu. Kalyopi teyzemin yardımcısı Eleni ile kocası Koço evin ikinci katında otururlardı. Evdeki odalardan özellikle bir tanesini çok severdim. Ahşap tavanlı, üç penceresi bahçeye bakan, değerli halılar, sedirler ve ponponlu yastıklarla süslü, sevimli bir odaydı burası."

İstanbullu bir başka yazar Thrassos Kastanakis "Hacı Manuil"[9] adlı tanınmış eserinde Tatavla'dan da söz etmeden yapamıyor. "Ayios Dimitrios Kilisesini geçince araba durdu. Sokak sakindi. Karşıdaki tepelerden sonsuz bir huzur esintisi geliyordu. Günün bu saatinde iki atlı bir arabanın buralarda dolaşması başlı başına bir olaydı. Bu yüzden, garip görünüşlü bazı komşular hemen camlara üşüştüler. Balkon kapısının camından sokağa bakan Nene Angeru gelinini gördü. Sevinçle kapıyı açmaya koştu. Birlikte yukarıya çıktılar. Girdikleri odada önünde yağ kandili yanan bir Meryem Ana ikona-

8. M. Yordanidu, İ Avli Mas, Atina, 1982, s. 47-52.
9. Thr. Kastanakis, Hacı Manuil, Atina, 1956, s.105-113.

Karakteristik Tatavla evi.

sı asılı idi. Sağdaki pencereden tüm Ayios Dimitrios Meydanı görünüyordu. Havada şehir ile kır karışımı sessiz bir atmosfer hakimdi. Yeşil perdeli, iki pencereli büyükçe bir odada bulunuyorlardı. Bir masanın üstüne aile resimleri dizilmişti. Köşedeki Türk tipi büyük sedirin bir kenarında kör teyze oturuyordu. Yaşlı, sakin ve nuryüzlüydü. Bembeyaz saçları Kraliçe Amalia stilinde ortadan ikiye ayrılarak, büyük bir özenle taranıp toplanmıştı. Odanın havası temizlik ve sabun kokuyordu. Eşyalardan, sedirden, kalın kilimlerden ortalığa hoş bir lavanta kokusu yayılıyordu."

Yine İstanbullu yazar, İ. N. Karavia'nın İstanbul'da Rumca olarak yayınlanan "Bir Zamanlar ve Şimdi" adlı eserinde Tatavla'ya ait satırlar: "Tatavla'da evlerin hemen tümü ahşaptı. Bu semtte kiracı olan yok gibiydi. Herkes kendi evinde otururdu. Sokak aralarındaki küçük bakkal dükkanlarının dışında, pek mağaza ve dükkana rastlanmazdı.

Hava karardığı zaman, hiç kimse o dar yokuşlardan ve eğri büğrü taşlarla döşeli karanlık sokaklardan geçip, yukarıya tırmanmaya cesaret edemezdi. Çok zorunlu durumlarda, birkaç kişi bir arada ve ellerinde fenerlerle yol alırdı. Tatavla'nın Kasımpaşa ile bağlantısını sağlayan Papaz Köprüsü mevkiinde evler seyrekleşir, bahçe ve bostanlar ise artardı. Geceleri burası hırsız ve uğursuz yatağı olduğundan; kimse kolay kolay geçmeye cesaret edemezdi. Özellikle kötü havalı, uzun ve karanlık kış gecelerinde Papaz Köprüsü'nden geçmek isteyenler, peşinen her türlü bela ile karşılaşmayı göze almalıydılar."

Bu bölgenin ilginç bir özelliği de Müslüman cami ve türbelerinin hemen bitişiklerindeki Rum ayazmaları ile yüzyıllarca birlikte yaşamış olmalarıdır.

TATAVLA'DA DOĞMUŞ VE YAŞAMIŞ BİRKAÇ ÜNLÜ İSİM

Tatavla'da doğmuş veya yaşamış bir çok ünlü Rum'un önemli bir bölümü iyi birer Osmanlı vatandaşı olarak İmparatorluğa ve Padişah'a hizmet etmişlerdir. Bazıları ise daha sonra gittikleri Yunanistan'da ve diğer Avrupa ülkelerinde isim yapmışlardır.

Tatavlalı tanınmış Tersane mimarı Komninos Kalfa 1804 yılında Beyoğlu'ndaki Panaiya Kilisesi'ni yapmıştır. Ancak 1821 Mora İsyanının İstanbul'da yarattığı Rum düşmanı ortamda idam edilenler arasına katılmıştır. Tersane başmimarlarından Marki Kalfa Aynalı Kavak Kasrı'nı inşa etmiştir. Daha sonra, Tatavla'daki muhteşem konağını okul yapılmak kaydıyla Rum cemaatine bağışlamıştır. Panayotis Kalfa, Tatavla'daki Ayios Athanasios Kilisesi'nin mimarıdır. Sultan Abdülmecit'in saray mimarlarından Hacı Kosti 1857 yılında tüm masraflarını kendisi karşılayarak, Tatavla halkı için 17 kurnalı küçük bir hamam yaptırmıştır. Sultan II.Abdülhamit'in saray mimarları arasında yine Tatavlalı olan Vasilakis İoannis Kalfa'nın da adı geçmektedir. Evangelistrias Kilisesi'nin mimarı Petrakis Meymaridis Efendi de Tatavlalı'dır. Padişahın özel doktorluğunu yapan Nikolaos Taptas Galatasaray Lisesi mezunu, Avrupa'da ihtisas yapmış ve İstanbul Tıbbiyesi'nde hocalık görevi üstlenmiş bir Tatavlalıdır. Osmanlı Bahriye Hastanesinde binbaşı rütbesi ile doktorluk yapan Panayotis Kozadinos ve yine donanma doktoru olan Konstantinos Alevropulos'un yanı sıra; 1923'den sonra gittiği Yunanistan'da önemli mevkilere getirilen doktor Nikolaos Makris de Tatavlalıdır. Sultan Abdülaziz'in eczacısı Yorgo Anastasiadis'in yanı sıra Tatavlalı eczacılar arasında Panayotis İsidoris'in ve Lambis Ksafidis'in isimleri de sayılır.

Sir Basil Zaharof Tatavla'da yetişen ve dünya çapında ün yapan silah taciri.

Tatavlalı yüksek dereceden Düyun-u Umumiye memuru Aleko Stergios Efendi'ye Padişah tarafından Mecidiye nişanı verilmiştir. 1833'de Tatavla'da doğan ve 1914'de Heybeliada'da ölen İzmit (Nikomidia) Metropoliti Filotheos Vriennios Efendi, Osmanlı devletinin itimadını kazanmış, saygıdeğer bir din adamı olarak anılır. 1861'de Tatavla'da doğan ve 1944'de Paris'te ölen Evgenios M.Andoniadis Efendi Fransa'da astronomi çalışmaları ile isim yapmıştır. Fakir çocukluk günlerini Tatavla'da geçiren Sir Basil Zaharof[10] Tatavla'ya maddi yardımlarda bulunmuştur. 1900 yılında Tatavla'da doğan ve gençlik yıllarında gittiği Yunanistan'da isim yapan yazar Thrasos Kastanakis, Tatavla'yı kitaplarına aktarmıştır. 1870'lerden bu yana İstanbul'un çiçekçileri içinde seçkin bir ismi olan Midilli kökenli Sabuncakis ailesi de Tatavlalıdır. Birbirinden güzel ve kaliteli çiçeklerini uzun yıllar boyunca, Tatavla'nın eteklerindeki seralarında itina ile yetiştirmişlerdir.

---

10. Sir Basil Zaharof, Tatavla'lı fakir bir Rum ailesinin çocuğudur, 1849'da Muğla'da doğmuş ve 27 Kasım 1936'da 87 yaşında Paris'te ölmüştür. Çocukluk ve gençlik yıllarını zor koşullar altında Tatavla'da geçiren Zaharof, Rumca ve Türkçe'nin yanısıra İngilizce ve Fransızcayı da İstanbul'da öğrenmiştir. Daha sonra Avrupa'ya gitmiş ve Balkan Savaşı ile I.Dünya Savaşı sırasında yaptığı silah ticareti ile dünyanın sayılı zenginleri arasına girmiştir. İngiltere ve Fransa tarafından bu ülkeler için yaptığı hizmetler karşılığı kendisine "Sir" ve "Legion de Honore" nişanları verilmiştir. Tatavla'nın okul ve derneklerine maddi yardımını ölümüne kadar sürdürmüştür.

CEMAAT YÖNETİMİ

Tatavla, dini açıdan özel konumu ve kalabalık Rum Ortodoks nüfusu göz önüne alınarak hiçbir zaman ayrı bir metropolitlik bölgesi olarak belirlenmemiş; ancak Fener Patrikhanesi'ne doğrudan bağlı metropolitlik düzeyinde din adamlarınca yönetilmiştir.

Osmanlı İmparatorluğu içinde, Rum cemaatlerinin oluşturduğu sistem burada da uygulanmıştır. Bu sistem içinde yönetim İhtiyar Heyeti ve Mütevelli Heyeti tarafından yürütülmekteydi. Tatavla cemaatinin yönetim tüzüğü cemaat, kilise ve okulların yönetimi ile ilgili sorunların aşılması için ilk defa 1864 yılında hazırlanmıştır.

Cemaatin Patrikhane'ye başvurması üzerine Efes Metropoliti Paisios, Arta Metropoliti Sofronios ve Veliosos Metropoliti Anthimos'un oluşturdukları üçlü bir heyet tarafından hazırlanmış ve dönemin İstanbul Patriği Sofronios Efendi tarafından onaylanmıştır. Cemaat yönetiminin kullandığı mühürde Tatavla Kasabası İhtiyar Heyeti (Dimoyerondia Tis Komopoleos Tataulon) ibaresi bulunmaktadır.

Yönetmelik tüzüğüne göre Tatavla cemaati 12 kişiden oluşan bir İhtiyar Heyeti tarafından yönetilmekteydi. İhtiyar Heyeti üyelerini her 20 ev için 1 kişi olmak üzere, 1030 evi temsilen seçilmiş olan 53 kişi seçmekteydi. Görevleri tüzüğün bir maddesinde belirtilen bu İhtiyar Heyeti, Kilise Mütevelli Heyetleri ile 12 kişiden oluşan okulların İdare Heyetlerini seçmekteydi. Bu iki kademeli seçim sistemi, çağına göre oldukça demokratik gözükse de; her zaman olumlu sonuçlar alınmamış ve cemaat içinde idareden kaynaklanan sorunlar yaşanmıştır.

Patrikhane ve azınlıkların statüleri konusunda köklü değişiklikler getiren 24.07.1923 tarihli Lozan Anlaşması'na kadar eski yönetim sistemi süregelmiştir.

Tatavlalı Düyun-u Umumiye memuru Aleko Stergios Efendi.

1826'dan 1897'ye kadar Tatavla'nın metropolit düzeyindeki dini liderleri şu şekilde sıralanmaktadır: Selefkias Konstantinos, Argiropoleos Dionisos, Argiropoleos Serafim, Preslavas Veniamin, Laodikias Parthenios, Hariupoleos Yennadios, Nazianzu Panaretos, Pamfilu Melissinos.

Tatavla'nın 1912'deki dini lideri Pamfilos Metropoliti Melissinos Efendi.

RUSLARIN TATAVLA'YI HİMAYELERİ

1821 yılı ilkbaharında Mora'da patlak veren Yunan bağımsızlık hareketine kadar, kendi kabuğunda sulh içinde ve Kaptanpaşaların himayesi altında yaşayan Tatavla, Yunan bağımsızlık hareketine kendi halkından da bazı kişilerin destek vermesi üzerine Osmanlı Yönetimi'nin hiddetini üzerine çekmiştir. Yunan bağımsızlık hareketinin öncülüğünü yapan "Fil iki Eteria" derneğinin birkaç mensubunun Tatavla'da saklandıkları öğrenilince, Tatavla'ya giren Osmanlı kuvvetleri halka oldukça sert davranmış ve tutuklamalar yapmıştır.[11]

Osmanlı devleti ile Tatavla halkının arasını açan bu ilk ciddi olay, Ortodoks aleminin koruyucusu ve Bizans'ın mirasçısı olduklarını iddia eden Rusya tarafından hemen değerlendirilmiştir. O zamandan beri Rus Çarları Tatavla'yı belli belirsiz himaye eden bir tutum içine girmişlerdir.

Kırım Savaşı sırasında Kasımpaşa'da tutuklu olarak bulunan 1 subay ve 162 askerden oluşan, bir grup Rus savaş esirinin salgın hastalık sonucu ölmeleri üzerine ortaya ciddi bir buhran çıkmıştır. Tatavla'nın dini lideri Serafim Efendi, yanında çok sayıda din adamı ve semt eşrafından kişilerle birlikte Hacı Ahmet Karakolu'na kadar inerek, Ortodoks dinine mensup bu Rus ölülerinin gerekli dini törenle gömülebilmelerinin sağlanması için kendilerine teslim edilmeleri gerektiğini Osmanlı makamlarına bildirmiştir. Rusya ile savaş halinde olan Osmanlı devleti, kendi tebasından olan Tatavla halkının bu yersiz isteğinden pek hoşlanmamakla birlikte, belki de Rusya'yı daha

---

11. *4 Haziran 1821 günü Türkler Tatavla'ya gelerek, Ayios Dimitrios Kilisesi'nde silah saklandığı iddiası ile binaya girdiler. Bahçedeki mezarları açtılar. Ancak kemiklerden başka bir şey bulamadılar. Bundan önce, 23 Nisan 1821 günü Tatavlalı Hacı Vasili, çeşitli eslek mensubu 40 kişi ile bilikte asılmıştı.*
Pandora Mecmuası, Atina, 15.7.1863 sayı,320 s.203-204.

fazla tahrik etmemek için, sesini çıkarmamış ve Rusların cenazelerinin Tatavla'ya taşınmasına izin vermiştir. Cenazeler, Ayios Dimitrios Kilisesi'nde yapılan büyük bir törenden sonra toprağa verilmiştir. Osmanlı devletinin bu insanca yaklaşımı, müttefik olarak Rusya'ya karşı birlikte savaşmakta olduğu İngiltere ve Fransa tarafından kınanmıştır. Buna karşılık, Rusya'nın Tatavla'ya olan ilgisi ve desteği iyice belirginleşmiştir. 1. Dünya Savaşı'na kadar İstanbul'da görev yapan Rus sefirleri Tatavla'ya çeşitli maddi yardımlarda bulunmuşlardır. Kış aylarında Rus sefaretinde verilen balolara Tatavla eşrafı geleneksel olarak davet edilmiştir. Çarlık Rusyası'nın çöktüğü 1917 devrimine kadar bu yakın ilgi devam etmiştir.

TATAVLA'NIN KİLİSELERİ

Eski Tatavla'nın dört kilisesi günümüzde de varolup halen Rum Ortodoks ibadetleri için kullanılmaktadır.

Ayios Dimitrios Kilisesi

Bugünkü Kurtuluş Meydanında son durakta yer alır. Rivayete göre, İstanbul'un fethinden sonra Kasımpaşa'da bulunan Ayios Dimitrios isimli küçük bir Bizans kilisesinin Osmanlılar tarafından camiye çevrilmesinden sonra, Rumlar burada bulunan Ayios Dimitrios İkonasını tepede bulunan Ayios Athanasios kilisesine taşımışlardır. İkonanın buraya gelmesi ile kilise de Ayios Dimitrios ismini almıştır.

Ayios Dimitrios İkonası adını sadece kiliseye vermekle kalmamış; zaman zaman yeni oluşan köy de Ayios Dimitrios-Aya Dimitri ismi ile anılmıştır. Ayios Athanisios adına daha sonraki yıllarda az ileride başka bir kilise inşa edilmiştir.

Kilisenin ilk defa ne zaman inşa edildiği bilinmemekle beraber, yabancı gezginlerin notları ve şehir planlarına dayanılarak 16.yüzyılın ortalarına kadar giden bir tarih tespit edilebilmektedir.

Bugünkü bina 1726, 1782 ve 1798 yıllarında yapılan inşaatlar, ekler ve tamirler sonucunda şekillenmiştir.

Kilisenin Batı cephesinde, narteks duvarında bulunan en eski tarihli mermer kitabede Yunan harfleri ile şu bilgi bulunmaktadır: *"Büyük din şehidi Aziz Dimitrios'a ithaf edilmiş olan bu kutsal kilise ve İskenderiye'yi Büyük Peder Aziz Athanasios'a ithaf edilmiş bölümü temelinden yaptırılmıştır. 1726 yılının Aralık ayının 27. günü."*

Kilisenin Güneye bakan yan duvarında ise; 1798 tarihli başka bir mermer kitabe bulunmaktadır. Köyiçi'nde bulunan büyük çeşmenin Osmanlıca kitabesi de aynı tarihi taşımaktadır. Muhtemelen bir yangın ya da depremden sonra, 1798 yılında Tatavla'da kilise ve çeşme örneklerinde olduğu gibi bazı kamu binalarının tamir edildikleri ya da yeni baştan yapıldıkları anlaşılmaktadır.[12]

Ayios Dimitrios Kilisesi bazilika planlı olup, çatısı kiremitle kaplıdır. İstanbul'daki Rum kiliselerinde çok az görülen 5 nefli bir yapısı vardır. Ana bölümün sağında ve solunda sütunlarla ayrılan ve daha dar olan ikişer bölüm vardır. Ahşap oymalı olan temblosu, amvonu ve thronos'u iyi bir işçilik örneği olup, altın varakla kaplıdır. 1 metre boyunda ve 70 cm enindeki, üzeri tamamen kabartma gümüşle kaplı Ayios Dimitrios İkonası ile ünlüydü. Ayrıca kilisede 19. yüzyıl kilise ressamlarının elinden çıkma çok sayıda değerli dini resimler bulunur. Yüksek duvarlarla çevrili, bakımlı bir bahçe içinde bulunan kilise günümüzde de önemini korumakta ve her yılın 26 Ekim günü Ayios Dimitrios yortusu olarak dini törenlerle kutlanmaktadır.

Ayios Dimitrios Kilisesi, uzun boyutları birbirinden biraz farklı bir dikdörtgen şeklindedir. Kuzey uzun duvarı 27.20 m., güney uzun duvarı ise 28.90 metredir. Batı yönündeki narteksde dar kısmı 22.50 metredir. Çatısının içinde bulunan Pantokratoras tavan madalyonunun (Hz.İsa resmi) yerden yüksekliği 8.55 metredir.

Hıristiyan azizlerinden Ayios Trifonos, Ayios Haralambos, 40 şehitlerden Ayios Smaragdos ile Ayios Pandeleymonos'a ait kemik parçaları gümüşten yapılmış özel muhafazalar içinde Ayios Dimitrios Kilisesi'nde bulunmaktaydı.

31 Mart-11 Nisan 1909 olaylarında Taksim Kışlası'ndaki çatışmalar sırasında, Tatavla'ya Ayios Dimitrios Kilisesi'nin önü-

12. *1798 yılında Osmanlı tahtında Padişah III. Selim bulunmaktaydı. Annesi Mihrişah Valide Sultan'ın adı Tatavla Köyiçi'ndeki Hicri 1214 (1798) tarihli büyük çeşmenin Osmanlıca kitabesinde anılmaktadır. Bkz. Dünden Bugüne İstanbul Ansiklopedisi.*

ne düşen mermi ve şarapnel parçalarından bir kişi ölmüş ve bir kişi yaralanmıştır.

1 Ağustos 1903 tarihli kilise mütevelli heyeti kararına göre, Ayios Dimitrios Kilisesi'nde verilen dini hizmetler karşılığında talep edilen ücretler:

Hizmetin türü ve sınıfı (Kuruş olarak)

	1.	2.	3.	4.	5.	6.	7.
Vaftiz	500	180	120	75	ücretsiz		
Düğün	540	340	180	140	90	60	
Cenaze	1200	910	600	400	330	200	120
Mevlüt	1000	600	450	140	70		

Ayios Dimitrios Kilisesi'nin çan kulesi binadan ayrı olup, kilise bahçesinin kuzeydoğusundadır. Bir çok defa yıkılıp yapıldığı için eski hali bilinmemektedir. 20. yüzyılın başında iki kalın ceviz kütüğünden yapılmış bir ahşap kule bulunmaktaydı. Bugün ise kule oldukça yenidir ve taştan yapılmıştır. Çanı, çan yapımında çok başarılı olan Çarlık Rusyası'nda dökülmüş ve İstanbul'a gönderilmiştir.

Kilisede 1751-1754 yılları arasında temblo, amvonos ve thronos'un altın varakla kaplanması için yapılan harcamaların dökümü şöyledir.[13]

13 Ocak 1751 günü büyük temblo ile iki tarafın yapımı için ustalar tutuldu ve aşağıdaki masraflar yapıldı.

Karaniko'ya ceviz keresteler için · 50 Kuruş
Dimitri Usta'ya 5 tane sütun kerestesi için · 7 Kuruş
Yan tarafların payandaları için · 3 Kuruş
Anastas'a 3 temblonun çivileri için · 6.84 Kuruş
Usta ve Hacaki ile pazarlığımız · 302 Kuruş
Tophane'den kerestelerin taşınması ve hamaliye masrafları · 6 Kuruş
Büyük temblonun sökülmesi, çakılması ve kesilmesi için · 4.66 Kuruş
Ressamın altın varak ve amvon işçiliği için · 100 Kuruş
Bostancıbaşı ve Kuyucubaşı'na kilise izni için ödenen (haraç) · 253 Krş.

13. M.Hristodulos, Ta Tatavla-İstoria Ton Tatavlan Konstantinupoli, 1913, s.58-59.

Ekim 1752
Thronosun altın varakla kaplanması için ressama verilen - 140 Kuruş
Kasım 1752
Oymacıya thronosun işçiliği için ödenen - 100 Kuruş
Mayıs 1753
Ressama temblonun altın varak kaplanması için ödenen - 1400 Kuruş
29 Mayıs 1754
Temblonun kerestesi ve demirleri için - 105 Kuruş
Temblonun perdeleri için - 110 Kuruş

Ayios Dimitrios Kilisesi'nin bahçesindeki mezarlar

Yeorgios P.Yeorgiadis'in 1898 yılında İstanbul'da yayınlanan "O En Galata Ieros Naos Tu Ayiu İoannu Ton Hion" adlı kitabında Tatavla'daki Ayios Dimitrios Kilisesi'nin bahçesinde bulunan dört Sakızlı'ya ait mezardan söz edilmekte ve bunların kitabeleri verilmektedir:

1. Enthade Kite O Dulos Tu Theu / İoannis Hios Rodokanakis / 1806 İuliu 15.

2. Simati Tode Kaliptont'osta/ Prosfilestaton Sizigon Stamatiu / I.Pastela Ke Rallus Tis Sinefnu / 1865.

3. Enthade Kite Stamatios Felieros / Hios / Politis Hristos Patir Filostorgos / Tu Kerdou Ermu Therapon /Viosas Kalos Ke Evsevos / Etelefsite ti / 12 Avgustu 1864.

4. Frantzis G. Karandino / Yennithis En Hio Ti 8 İuliu 1838 / Eksemetrise To Zin En Tataulis Ti / 20 İanuariu 1868.

Ayrıca, Vasilios İoannidis (1821-1903), Marki Kalfa (1759-1858), Erato İoannidu (1837-1929) ve Artemisia İoannidu (1860-1925)'nun gömülü olduğu aile mezarları, Nikolaos Kozma'nın eşine ait bir mezar, (Yazıtında 1866'da 24 yaşında öldüğü yazılıdır.) Kefalonya Adası'ndan Spiridon Menayas (1811-1822) ve eşi Sakız Adası'ndan Ekaterini Menayas'a (1820-1875) ait mezar, 1817-1889 tarihli, bir din adamına ait olduğu anlaşılan bir mezar ve yazısı hiç okunmayan mezarlar bulunmaktadır.

1865 yılından sonra Osmanlı başkentinde Hıristiyan ölülerinin kilise avlularına gömülmeleri sağlık kurallarına aykırı görülüp yasaklanınca, az ilerideki Ayios Eleftherios mezarlığı şekillenmeye başlamıştır. Ancak yukarıdaki kitabelerde görüldüğü gibi, kilise bahçesine az da olsa 20. yüzyılın başlarına kadar ölü defnedilmiştir.

Ayios Athanasios Kilisesi

Ayios Dimitrios Kilisesi'nin 200 adım kadar batısında, eski adı ile Ayatanaş yeni adı ile Omuzdaş sokağında bulunan kilisenin temeli Sultan Abdülmecid'in izni ile İstanbul Patriği Kirillos Efendi döneminde, Tatavla'nın dini lideri Argiropoleos Serafim tarafından 21 Kasım 1855'de atılmıştır.

Mimar Hacı Kosti Maltezaki ile Panayotis Kalfa ve Mise Dimitrios Frangias binanın plan ve yapımını üstlenmişlerdir. Kilisenin yapımı için zamanın parası ile 1.350.000 kuruş masraf edilmiştir. 1858 yılının Mart ayında ibadete açılan kilise, 1896 yılının Haziran ayında İstanbul'u alt üst eden büyük depremden sonra esaslı biçimde tamirat görmüştür.

Ayios Athanasios Kilisesinin Tatavla tepesinin Okmeydanı yönünde Cinderesi'ne doğru alçalmaya başladığı meyilli arazide yer alır. Etrafı duvarlarla çevrili bu alan, teras haline getirilerek kilise inşa edilmiştir. Haç planlı ve büyükçe kubbeli bir yapıdır. Tanzimat ve Islahat Fermanları ile Rumların, İstanbul'un Fethi'nden beri ilk defa kubbeli kilise inşa etme yasağından kurtuldukları dönemde, İstanbul'da yapılan ilk ve Tatavla'nın da tek kubbeli kilisesidir. 4 çan kulesinden sadece birinde çan bulunur.

Yapıldığı yıllarda kilisenin iç dekarasyonu çok zengin olup; özellikle temblosu, amvonu ve thronosu ile avize ve kandilleri dikkati çekmekteydi. Duvarlarındaki dini konulu freskolar en son 1903 yılında yenilenmiştir. 6-7 Eylül 1955 olaylarında çok büyük zarar gören Ayios Athanasios Kilisesi, günümüzde bakımlı dış görünümünün aksine iç süsleme açısından Tatavla'nın diğer kiliseleri ile kıyaslanamayacak kadar fakir ve ıssız bir görüntü vermektedir.

Her yılın 18 ocak günü kiliseye adını veren Aziz Athanasios Yortusu burada kutlanır. İstanbul'da Ayios Athanasios adına ithaf edilmiş tek kilisedir.

Evangelistrias Kilisesi

Hz. Meryem'in hamile kalmasının müjdelenmesine ithaf edilen bu kilise, Tatavla'nın Taksim yönündeki eteklerinde, Dolapdere'de eski adı ile Kilise, bugünkü adı ile Hacı İlbey sokağında yer alır. Daha önce mevcut olan ahşap ve küçük bir kilisenin yerine yapılmıştır. Demir parmaklıklarla çevrili taş bir avluda bulunan ve birkaç mermer basamakla girilen bina haç planlıdır ve Bizans tipi küçük bir kubbesi vardır. Kilisenin ön cephesine bitişik olarak yükselen 2 çan kulesinin yükseklikleri 25 metreyi bulur. Çan kulelerinin arasında ve ana binanın cephesinde, devrin modasına uygun olarak bir de saat bulunur. Kilise, Tatavla'nın bu bölgesinde oturan Rumların yardımları ile 1877-1893 yılları arasında 16 yıllık bir çabadan sonra tamamlanabilmiştir. Mimarı Petraki Meymaridu Efendi'dir. Kilisenin narteksindeki duvarda bulunan mermer kitabede Yunan harfleri ile yazılmış metnin Türkçesi şöyledir:

"Meryem Ana'nın hamile kalmasının müjdesine ithaf edilen bu kutsal kilise, tüm yerli ve yabancı Ortodoks Hıristiyanların ve de hayır derneklerinin katkıları ile 1893 yılında Mimar Petraki D. Meymaridu tarafından tamamlanmış ve 1894 yılında 8. Neofitos'un Patrikliği sırasında onarılmıştır."

1893 yılında tamamlanan kilisenin 1894 yılında onarılarak 27 Kasım 1894'te ibadete açılmış olmasının nedeni yine Haziran 1894'de meydana gelen büyük depreme bağlanabilir. Yortu günü 25 Mart olan kilise, mermer temblosu ve thoronosunun yanı sıra değerli ikonaları ve biri kristal parçalarından oluşturul-

Ayios Dimitrios Kilisesi

muş gemi şeklinde olan büyük avizeleri ile Tatavla'nın Ayios
Dimitrios'dan sonra ikinci güzel ve zengin kilisesidir. İstanbul'da aynı ismi taşıyan ikinci bir Rum Kilisesi Boyacıköy'dedir.

Ayios Eleftherios Mezarlık Kilisesi

Tatavla'nın en küçük kilisesidir. Ayios Dimitrios Kilisesi'nin
200 adım kadar kuzeybatısında, Okmeydanı yönünde, Cinderesi'nin yamaçlarında, girişi Bayır Sokak'ta bulunan ve aynı adı taşıyan Rum mezarlığının içinde yer alır.

Daha önce mevcut olan eski kilisenin yerine "Tatavla Ayios
Eleftherios Kilisesini İnşa Ettirme Derneği" isimli Tatavlalı
Rum kadın derneğinin çabaları ile 1880 yılının Eylül ayında tamamlanmıştır. Kesme taştan, Neogotik-Bizans tarzında inşa edilmiş bir bazilikadır. Temblosu, amvonu ve thronosu ahşaptır.
Cenaze ve mevlüt gibi, ölülere yönelik dini törenler için kullanılır.

Ayios Eleftherios Mezarlığı

1860'lardaki kolera salgınından sonra mezarlıkların yerleşim alanlarının dışına çıkarılmasına ilişkin irade ile Tatavla yerleşim merkezinin az ilersindeki boş saha mezarlık olarak ayrılmıştır. Giriş kapısının üzerinde eskiden Yunan harfleri ile yazılı şu bilgi okunmaktaydı: *"Nekrotafion Tis Ellinikis Orthodoksu Kinotitos Tataulon 1865 (Tatavla Rum Ortodoks Cemaatinin Mezarlığı 1865)."*

Günümüzde aynı yerde bulunan yeni bir yazıtta ise, Türkçe ve Rumca, *"Kurtuluş Aya Lefter Rum Mezarlığı"* ibareleri okunmaktadır. Ayios Eleftherios mezarlığı 1865'den günümüze kadar Rum Ortodoks mezarlığı olarak kullanılmaktadır. Yüksek duvarlar içinde düzenli ve bakımlı görünümünü muhafaza etmektedir. Halen mevcut olan eski mezar taşlarından şu isim ve tarihler okunabilmektedir: *K.Leondidis (1852), Vasiliadu (1872), Dimitri Kirillo (1879), Varvara Nikolaidu (1888), Pinelopi Prokopidu (1891), Andreas Mavroyannis (1901), Eleni Leondidu (1904), Kapsalis (1906), Maria Cavra (1912), Seramietakis (1913), Garifalidu (1917), Keramidas (1918).*

Ayios Dimitrios Kilisesi'nin kapısı.

Ayios Dimitrios Kilisesinin 1798 tarihli tamirat kitabesi

TATAVLA'NIN KİLİSELERİNİN İSİMLERİNİN ANLAMLARI

Tatavla'nın 4 kilisesinden Kurtuluş eteklerindeki Dolapdere ya da Yenişehir'de yer alan **Evangelistria Kilisesi** adını Hz. Meryem'in hamile olduğunun müjdelendiği (tebşir) Evangelizmoz Yortusu'ndan alır. Başka bir deyişle bu kilise Meryem Ana'nın hamile kalışına ithaf edilmiştir.

Ayios Dimitrios (Aziz Dimitri): Tatavla'nın en eski ve önemli kilisesine adını veren bu aziz MS. 280 yılında Selanik'te Hıristiyan bir ailenin çocuğu olarak doğmuştur. O dönemde bölgeye hakim olan Roma ordusunda başarıları ile sivrilmiş; ancak henüz çok tanrılı dinlere bağlı olan İmparator Galerius tarafından Hıristiyanlıktan vazgeçmesi için tutuklanmış, inancında ısrarlı olunca 26 Ekim 306 günü henüz 26 yaşındayken öldürülmüştür. Aziz Dimitrios Selanik şehrinin koruyucu azizidir. Tatavla'nın çekirdeğini teşkil eden Ayios Dimitrios köyü ile kilisesine de onun adı verilmiştir. İstanbul'da Aziz Dimitrios adına ithaf edilmiş kiliseler Tatavla'nın dışında Balat, Kuruçeşme ve Büyükada'da bulunur. Yortu günü her yılın 26 Ekim günüdür.

Ayios Athanasios (Aziz Athanasios): Tatavla'nın ikinci büyük kilisesi bu azizin adını taşır. Ms. 296 yılında İskenderiye'de doğmuş ve 373 yılında ölmüştür. İskenderiye Başpiskoposu olarak Roma İmparatorlarına karşı Hıristiyanlık adına verdiği mücadele ile tanınır. Hayatının 46 yılı çeşitli sürgünler ve eziyetler içinde geçmiştir. Her yılın 18 Ocak günü anılır.

Ayios El eftherios (Aziz El eftherios-Lefter): Roma'da yaşamış ve genç yaşta piskoposluk makamına yükselmiş bir azizdir. Hıristiyanlığa karşı olan Romalı askerler tarafından Ms. 226 yılında öldürülmüştür. Ortodoks kilisesinin din şehitleri (Marthyr) arasındadır. Her yılın 15 Aralık günü anılır. İstanbul'da Tatavla'daki mezarlık kilisesinin dışında, bu azizin adını taşıyan başka kilise yoktur.

TATAVLA'NIN AYAZMALARI

Ayios Athanasios Ayazması: Muhtemelen Tatavla'nın en eski ayazmasıdır. Ayios Athanasios Kilisesi'nin alt kısmında bulunur ve günümüze kadar gelmiştir.

Ayios Haralambos Ayazması: Ayios Dimitrios Kilisesi'nin bahçesinde bulunur ve iyi durumda günümüze kadar gelmiştir.

Yenetlion Tis Theotoku Ayazması: Evangelistria Kilisesi'nin avlusunda ve ana giriş kapısının solunda bulunan küçük kubbeli, çatısı kiremitle kaplı taş bir yapıdır. İyi durumda günümüze kadar gelmiştir.

Ayios İoannis Ayazması: Ebürrıza Sokağı'nda bulunan bu ayazma 1950'lere kadar gelmiştir. Mülkiyeti Rum cemaatine ait olmadığı için yıktırılmış yerini ticari amaçlı yapılara bırakmıştır. Yortu günü olan 29 Ağustos'ta Tatavla halkının büyük kalabalıklar oluşturduğu bir ayazma idi.

Eski Ayia Kiriyaki yeni Ayios Fanurios Ayazması: Eski adı ile Papaz Köprü mevkiinde eski adı Ayia Kiriyaki, yeni adı Teşrifatçı Sokağı'nda bulunan bu ayazma; Ayios İoannis Ayazması yıkım için boşaltılırken buraya taşınan ikonalar arasında bulunan Ayios Fanurios ikonasının adını alarak isim değiştirmiştir. Günümüzde bu isimle bilinmektedir.

Ayios Athanasios Ayazması

Ayios Haralambos Ayazması

Yenetlion Tis Theotoku Ayazması

TATAVLA'NIN OKULLARI

Eski kayıtlardan Tatavla'da daha önce var olan iki okulun 1758'de tamir edildikleri anlaşılmaktadır. Bu durumda Tatavla'da 1758'den önce ilkel şartlar altında da olsa Rum okulu bulunduğu kabul edilebilir.

Daha eski yıllarda ev eğitiminin dışında fazla okuma yazma öğrenme şansı olmayan kızlar için 1859 yılında, iki katlı, on dersaneli, bodrum kadınta yemekhanesi bulunan bir okul açılmıştır. Ayios Dimitrios Kilisesi'nin hemen yanındaki meydana inşa edilen okul için 132.556 kuruş harcanmıştır. Giriş kapısının üzerindeki mermer kitabede Yunan harfleri ile şunlar yazılıydı: *Tatavla Rum Ortodoks Cemaati Kız Okulu ve Ana Okulu 1859.*

Dikiş ve nakışta çok başarılı olan Rum kızları, uzun saçlarının tellerini kullanarak ve Ayasofya'yı konu alarak atlas kumaş üzerine işledikleri bir tabloyu Osmanlı Sarayı'na hediye etmişler, Padişah da çok beğendiği bu eseri Rus Çarı'na armağan olarak göndermiş. Rivayete göre bu tablo 1917 Rus devrimi sırasında kaybolmuştur.

Tatavla Kız Okulu en parlak dönemini 1903-1911 yılları arasında Sofia Konstantinidu'nun müdürelik yaptığı yıllarda yaşamış ve her yıl 400 civarında öğrencisi olmuştur.

Bugünkü Kurtuluş Meydanı Son Durak'ta meydanın batı yönünde bulunan bu okul 1930'larda terkedilmiş ve kısa bir zaman sonra da altında bulunan marangoz atölyesinde çıkan yangın sonucu ortadan kalkmıştır.

1868-1872 yılları arasında Skulaki Kalfa'nın Tatavla'da okula tahsis ettiği görkemli konağındaki lise seviyesindeki okul 130 kadar öğrenci toplamasına rağmen; nüfus yoğunluğu ve ekonomik açıdan Tatavla'dan daha güçlü olan Pera ve de Fener'in büyük ve ünlü Rum okulları ile rekabet edemeyerek kapanmıştır.

Tatavla'nın okumaya istekli çocukları, o günün İstanbul'unun şartlarında uzun mesafelere zahmetli bir şekilde gidip gelmeyi göze alarak eğitimlerini sürdürmüşlerdir.

Tatavla Erkek Okulu, Ayios Dimitrios Kilisesi'nin hemen yakınında bugünkü Sefa Meydanı'na giden yol üzerinde 1886 yılında 3 katlı ve dokuz dersaneli olarak inşa edilmiş ve 31 Mayıs 1887'de Patrik 5. Dionisios Efendi'nin tasdikleri ile açılmıştır. Zamanın parası ile 135.000 kuruş harcanmıştır.

Okulun girişindeki duvarda bulunan mermer bir kitabe üzerinde binanın yapımı için büyük bağışlarda bulunanların isimleri okunmaktaydı:

İstanbul Valisi Ekselans Mahzar Paşa
Zanni Stefanovik Skilitçis'in oğulları
Apostolos Stamatiadis
İoannis Stamatiadis
Tatavla Fukaraperver Derneği
Elpis Derneği
Tatavla Eğitim Derneği
Tatavla Halkı
Eleni Kanavalof

Zamanına göre çağdaş bir eğitim veren okulda Rumca, Osmanlıca, Fransızca ve ticaret dersleri verilmiştir. Bugün Kurtuluş'da Karma İlkokul olarak faal durumda kalan tek Rum okuludur.

Tatavla'nın Taksim yönündeki eteklerinde Dolapdere'de 1854 yılında açılan dört dersaneli erkek ve 1895 yılında açılan yine dört dersaneli kız okulları, daha çok fakir ve çok çocuklu Rum ailelerinin yaşadığı bir semtte bulunmalarına rağmen ortalama 200'er öğrenciye sahiptiler.

Daha önce Karma İlkokul olarak tek binada birleştirilen Evangelistrias okulu 1980-1981 ders yılında öğrenci yokluğundan kapanmıştır.

Tatavla'nın okullarına gerek Tatavla halkının ileri gelenleri, gerekse Tatavla'da yetişip daha sonra dış ülkelerde servet sahibi olan Tatavlalılar her zaman ilgi göstermişler ve büyük para yardımlarında bulunmuşlardır. Okulların öğretmen ücretleri, binaların bakımı, araç gereç temini, yakacak giderleri gibi, büyük maddi destek beklentilerinin yanı sıra, buralarda okuyan fakir öğrencilerin doyurulması, defter kitaplarının temin edilmesi gibi konularla da ilgilenilmiştir. Yapılan bu yardımlara örnek olarak Miltiyadis Melahrinos'un hikayesi anlatılır: 1854 yılında Tatavla'da doğan ve daha sonra gittiği Mısır'da tütün ticareti ve sigara fabrikası ile büyük servet sahibi olan Melahrinos, Tatavla'yı unutmamıştır. Kahire'den Tatavla'nın o tarihlerdeki dini lideri olan Melissinos'a gönderdiği 27.10.1913 tarihli mektubundan şu satırları okuyoruz:

"Aziz Despot Melissinos,

17 tarihli ve ondan önceki mektuplarınızı aldım. Politik durum nedeni ile daha önce cevaplandıramadım. Tatavla'daki hayır derneklerinize ilginizi memnuniyetle görmekteyim. Siz olmasaydınız, belki bütün bu dernekler darmadağın olacaktı. Çünkü şimdiye kadar Tatavla'nın çocuklarına, onlara doğdukları vatanlarına karşı minnet borçlarını hatırlatacak biri çıkmadı. Ruhani babamız olarak size bildiriyorum. Vasiyetnamemde 10.000 Sterlin Tatavla'daki Okullar ve 10.000 Sterlin de hayır dernekleri için ayrılmıştır. Ancak bu meblağlar Atina'daki Milli Banka'da kalacak ve ana paralara dokunulmadan sadece faizlerinden yararlanılacaktır.

Lütfen bana yazın ve bu teklifimi kabul ettiğinizi bildirin."[14]

Tahmin edileceği gibi bu teklif Tatavla'da memnuniyetle kabul edilmiş ve Miltiyadis Melahrinos'un bu örnek davranışı İstanbul ve Mısır'da yayınlanan Rumca gazetelerde günlerce övgü ile yer almıştır.

14. M.Hristodulos, *Ta Tatavla-İstoria Ton Tataulon Konstantinupoli*, 1913, s.288-289.

Tatavla'daki Okullar ve Öğrenci Sayısı:

1882-1883 ders yılında
Rum Okulu (Elliniki Sholi) - 100 öğrenci
Halk Okulu (Dimotiki Sholi) - 250 öğrenci
Tatavla Kız İlkokulu - 240 öğrenci
Anaokulu (Nipiagogion) - 160 öğrenci
Evangelistrias İlkokulu - 160 öğrenci

1902 yılı:
2 erkek okulu, 19 öğretmen, 534 erkek öğrenci.
2 kız okulu, 11 öğretmen, 524 kız öğrenci.
Toplam: 4 okul, 30 öğretmen, 1058 öğrenci.

1911-1912 ders yılında:
Tatavla Erkek ilkokulu 554 erkek öğrenci
Tatavla Kız İlkokulu 438 kız öğrenci
Evangelistrias Erkek İlkokulu 210 erkek öğrenci
Evangelistrias Kız İlkokulu 226 kız öğrenci
Toplam: 4 okul, 1428 öğrenci.

(K.A.Vakalopulos, İstoria Tu Voriu Ellinizmu: Thraki Thessaloniki, 1993, s.336-338.
Pinaks Yenikos Ton En Tin Evropaiki Turkia Ellinikon Sholion, Konstantinupolis, 1902, s.6-7.)

TATAVLA'DAKİ BELLİ BAŞLI DERNEKLER

19. yüzyılın ikinci yarısından sonra Tatavla'da hayır işleri, eğitim ve spor amaçlı çok sayıda Rum derneği kurulmuştur. 1905 yılında Tatavla'da bulunan belli başlı dernekler ve yöneticileri şunlardır:

Filoptohos Adelfotis (Fukaraperver Derneği): Semtin fakirlerine yardım amacı ile 1862 yılında kurulan bu dernek, çalışmalarını Rum İmparatorluğu Sefareti'nin himayesi altında yürütmekteydi. Derneğin Tatavla'da bulunan büyük binasında yazıhanelerin dışında, fakirlere tıbbi yardımın yanı sıra ilaç, et,

Tatavla eski Erkek İlkokulu, bugün karma Kurtuluş Rum İlkokulu.

süt ve para yardımında bulunan bir klinik; gece okulu, konferans ve tiyatro salonu olarak kullanılan büyük bir salon; üyelerin ve dışardan gelenlerin yararlanması için bir kütüphane ve okuma salonu bulunmaktaydı. Dernek Noel ve Paskalya Yortuları ile uygun görülen zamanlarda yoksullara para yardımı yapmaktaydı. Ayrıca semtin okullarında bulunan fakir ve başarılı öğrencilere de kitap, ayakkabı ve giyim yardımları ile destek verilmekteydi. Derneğin, amaçları doğrultusunda harcanmak üzere yıllık 40.000 kuruş'luk bir bütçesi vardı. Derneğin asil üyeleri isteğe bağlı olarak yaptıkları bağışların dışında, yıllık 60 kuruş aidat ödemekteydiler. 7 üyeli bir yönetim kurulu tarafından yönetilen derneğin 1900 yılındaki yönetim kurulunda şu isimlere rastlanmaktadır: N.Vasilyadis başkan, İ.Stamatiadis ve A.Pirneas başkan yardımcıları, L.F.Asimakopulos ve P.Lautaris sekreter, E.V.İoannidis muhasebeci, T.Onufriadis danışman.

Filekpedeftiki Adelfotis (Eğitim Derneği): Semtin eğitim kurumlarına ve öğrencilerine destek sağlamak için 1862 yılında kurulan ve 1905 yılında Proodos (İlerleme) Derneği ile birleşen bu derneğin 1905 yılındaki yöneticileri arasında şu isimlere rastlıyoruz. Th.İsikidis başkan, G.Suvacidis ve İ.Francetis başkan yardımcıları, N.A.Nikolaidis muhasebeci, İ.Volonakis genel sekreter, G.A.Theodoridis sekreter, Stavros Aleksandridis ve Ahilefs Pirneos danışman.

Evergetiki Adelfotis Elpis (Ümit Hayır Derneği): 1873 yılında kurulan bu derneğin 1905 yılındaki yöneticileri şu isimlerden oluşmaktaydı. Th. İoannidis başkan, H.Hacıioannis başkan yardımcısı, E.İoannidis muhasebeci, A.Vergiadis danışman.

Korais: Tatavla'da 1873 yılında eğitim amaçlı yeni bir derneğin kuruluşunu Rum Edebiyat Derneği'nin mecmuasından öğreniyoruz. Ancak bu dernek fazla ömürlü olmamıştır.

Ayios Eleftherios Kadın Derneği: Tatavlalı Rum kadınları tarafından 1872 yılında kurulan bu dernek, topladığı bağışlarla 1880 yılında Ayios Eleftherios mezarlık kilisesinin yapımını sağlamış ve kilise ile mezarlığın bakım masraflarına yardımcı olmuştur. 1905 yılında Eleni Gavriil Yakovu başkan, Eleni Strongilu muhasebeci ve Maria Ap. Kiryakopulu sekreterdi.

Adelfotis Proodos (İlerleme Derneği): 1899 yılında eğitime destek sağlamak amacı ile kurulan bu derneğin üyeleri arasında Tatavla'nın en zengin isimleri bulunmaktaydı. Dernek, fakir aile çocuklarını meslek sahibi yapabilmek için klasik eğitimin dışında erkeklere sanat meslek okulu; kızlara ise, biçki ve dikiş atölyesi açmayı planlamıştır.

Proodos Derneği binası. 1896'da yapılan bu bina 1923'den sonra Kurtuluş Spor Kulübü binası olarak kullanılmaktadır.

1 Ocak 1905 tarihinde Filekpedeftikos Adelfotis (Eğitim Derneği) ile birleşerek Filekpedeftikos Adelfotis Proodos (İlerleme Eğitim Derneği) adını almıştır. 1905 yılındaki yönetim kurulu aşağıdaki isimlerden oluşmaktaydı: Efstratios Sabuncakis başkan, Yeorgios K.Leondidis başkan yardımcısı, Konstantinos İsidoridis genel sekreter, İoannis Skilirakis özel sekreter, Stavros Partheniadis muhasebeci, Aleksandros Theoridis, Paraskevas Bekes ve Fotios Savvidis danışman.

Kısaca Proodos Derneği diye anılan dernek, 1. Dünya Savaşı sırasında yönetim kurulları ve üyeleri dağılmış olan Fukaraperver Derneği ile İraklis Jimnastik Kulübü'nün faaliyetlerini de yürütmeyi üstlenmiştir.

Tatavla'nın bir bölümünü teşkil eden ve Taksim yönündeki eteklerinde yer alan oldukça fakir ve kalabalık Evangelistrias (bugünkü Dolapdere-Yenişehir) semtinde de 1905 yılında hayır ve eğitim amaçlı Zoodohu Pigis-Omonia, Analipsi, Ayios Yeorgios-Elpis, Ayios Nikolaos-Simnia ve Ayios Pandeleymonos-Agapi isimlerini taşıyan 5 dernek bulunmaktaydı.

1918-1922 Mütareke ve işgal yıllarında, Tatavla'da kısa ömürlü bazı yeni dernek ve kulüpler de kurulmuştur. Bunların başlıcaları: 1919 yılında kurulan Parthenon Rum Futbol Kulübü, 1922 yılında kurulan Astrapi Rum Futbol Kulübü ve 1922 yılında kurulan Ayios Athanasios Derneği'dir.

TATAVLA'NIN HAMAMI

Tatavla'nın tek hamamı, tepenin Kasımpaşa yönüne doğru, bugünkü isimleri ile Hacı Zeynel Sokağı'nın yakınındaki Fadıl Arif Çıkmazı ile Kurtoğlu Sokağı'na açılan başka bir çıkmaz arasında yer almaktadır. 1857 yılında Padişah Abdülmecit'in saray mimarlarından Hacı Kostil tarafından yaptırılmıştır. Tek kubbeli ve 17 kurnalı küçük bir hamamdır. İstanbul'da camilerden uzakta ve sadece Hıristiyanlar için yapılmış; muhtemelen başka bir örneği olmayan bir hamamdır.

Bir yıllık odun ihtiyacının bir orman yakmaya eşit olduğu, o zamanlar da bilindiğinden yeni hamam yapımı için iznin zor alındığı bir dönemde burada yakıt olarak sadece linyit kömürü kullanılacağı konusunda söz verilerek gerekli izin alınmıştır.

Pervititch'in 1925 tarihli Tatavla planında hamamın adı Kiryakidis Hamamı olarak geçmektedir. Günümüzde oldukça bakımsız bir şekilde Sefa Hamamı adı ile kullanılmaktadır. Hamam tek olduğu için Kuşluk Hamamı haline getirilmiştir. Yani saat 10'dan 5'e kadar kadınlara aittir.

Ayios Eleftherios Mezarlığı. (Bayır Sokak).

Direkçibaşı Sokağı'ndaki çeşme.

TATAVLA'NIN ÇEŞMELERİ

Tarih boyunca İstanbul'un her semtinde olduğu gibi, Tatavla'nın da su ihtiyacının bir ölçüde karşılanabilmesi için, çeşitli dönemlerde Taksim su şebekesine bağlı olan sokak çeşmeleri yaptırılmıştır. Eski Tatavla'nın tam ortasındaki Çeşme Meydanı ya da bugünkü adı ile Sefa Meydanı'ndaki çeşme bunların en büyüğü ve gösterişlisidir. Sekizgen planı ve kiremit çatılı ilginç bir görüntüsü vardır. Batı kentlerinde olduğu gibi, meydanın tam ortasına yapılmıştır. Padişah III. Selim'in annesi Mihrişah Valide Sultan tarafından yaptırılan ve günümüzde suyu akmayan bu çeşmenin kitabesinde şu satırlar okunmaktadır: *"Mehd-i ulyâ-yi saltanat devletlû inayetlû Valide Sultan aliyyet-üş-şan Efendimiz hazretleri Bağçe Karyesi kurbünde müceddeden bina ve ihya buyurdukları Bend-i Cedidlerine hasbeten-li'llah-i teâlâ iki masura mâ-i leziz işbu çeşme icra içün ta'yin buyruldu."* (Fi 10 Muharrem 1214/miladi 1798-1799)

Çeşme, 1997 yılında adeta yeniden yapılırcasına, çok kötü şekilde restore edilmiştir.

Tatavla'nın önemli sokaklarından biri olan Direkçibaşı Sokağı'ndaki kitabesiz ve susuz bir başka çeşme, zamanın tahribatına rağmen güzelliği ile dikkat çekmektedir. Muhtemelen 19. yüzyıl yapımı olan bu çeşme, Osmanlı'dan çok Batı ve Rum karakteri taşımaktadır.

Tatavla'nın üçüncü çeşmesi ise Evangelistria Kilisesi'nin Sokağı'nda (Hacı İlbey Sokağı) bulunan harap, susuz ve kitabesi oldukça silik Rıza Paşa Çeşmesi'dir. Kitabesinden 1249/miladi 1833-1834 tarihi okunmaktadır. Ayrıca semtin çeşitli yerlerinde su haznesi ya da çeşme olarak tamamen vasıflarını kaybetmiş bazı kalıntılara rastlanmaktadır.

TATAVLALI RESSAMLAR

Tatavlalı ressamlar genellikle kilise ressamı karakteri taşırlar. 19. yüzyıldan önce yaşayanlar için şimdiye kadar ciddi bir bilgi bulunmamıştır. 19. yüzyılın tamamı ile 20. yüzyılın ilk çeyreğinde çok sayıda Tatavlalı ressam, semtlerinin ve İstanbul'un diğer semtlerindeki Rum Ortodoks kiliseleri ve ayazmaları için çok sayıda dini konulu eser üretmişlerdir. Bir kısmı ahşap üzerine çalışılmış ikona, bir kısmı ise yağlıboya tablo şeklinde olan bu eserlerin büyük bir kısmı hâlâ İstanbul'da ilk konuldukları yerlerde bulunmaktadır.

Ressam Konstantinos Kizikinos Padişah III. Selim ile yakın dost olmuş ve Padişah Tatavla'ya gelerek, Ayios Dimitrios Kilisesi'nin yakınında oturan bu ünlü ressamı evinde ziyaret etmiştir. Bir anlamda saray ressamlığına yükselen Kizikinos III. Selim dışında diğer Osmanlı sultanlarının da 30 kadar portresini yapmıştır.

Tatavlalı kilise ressamları arasında Konstantionos Dimarhopulos, Athanasios İonnidis ve Prodromos Mavropulos isimlerine de rastlanır. Ayrıca yine Tatavla'da doğan ve burada yaşayan Yeorgios Agrafiotis (1861-1895), Apostolos S.Zografos (1875-1890), Konstantinos İnglesis (1844-1903), Harilaos Ksantopulos (1888-1955), Yeorgios Psiahas (1897-1981), Lisandros Prasinos (1888-1936), baba oğul Yeorgios ve Andreas Sevastos (19.yüzyıl)'un dini konulu çok sayıda yapıtı halen Tatavla'nın (Kurtuluş'un) Ayios Dimitrios, Ayios Athanasios, Ayios El Eftherios ve Evangelistrias Kiliseleri'nde bulunmaktadır.

Tatavla'da doğan, 1911-1979 yılları arasında İstanbul'da yaşayan Madam Eleni Potessaru milli kıyafetli bebek yapımında uzman olup, Topkapı Sarayı Müzesi için de çalışmalar yapmıştır.

*Ayios Dimitrios
Kilisesi.*

TATAVLA'NIN TULUMBACILARI

Geçen yüzyılda ve bu yüzyılın başlarında, İstanbul'un tüm semtlerinde olduğu gibi Tatavla'da da sokaklar dar ve evlerin büyük bir kısmı ahşaptı. Sobalar, mangallar, Meryem Ana kandilleri, devrilen lambalar, ateş alan tavalar yüzünden yangınlar hiç eksik olmazdı. Bu tehlikeye karşı, Tatavla halkı 15-20 kişilik bir tulumbacı ekibi oluşturmuştu. Bunlar Ayios Dimitrios ve Evangelistria Kiliselerinin çevrelerinde iki takım halinde kümelenmişlerdi. Reisleri yangın sırasında atla dolaşarak söndürme çalışmalarına katılır ve sağa sola sert emirler yağdırırdı.

Sağlam yapılı ve gözüpek gençlerden oluşan Tatavla'nın Rum tulumbacıları giyim, kuşam, davranış, ahlak ve ağız bozukluğu yönünden Türk meslekdaşlarını bile bastırırlardı. Herkes onlardan çekinir, uzaktan görünce yolunu değiştirir ve mümkün olduğunca bulaşmamaya özen gösterirlerdi.

Sultan 2. Mahmut Yeniçeri Ocağını lağvettikten sonra, o güne kadar Yeniçerilerin bir bölümü tarafından üstlenilmekte olan yangın söndürme görevi bir bakıma askerlerden sivillere devredilmiştir. Her semtin sağlam yapılı, kabadayı gençleri tulumbacılığı bir spor gibi kabul etmişlerdir. Özellikle kış aylarında çamur, kar, buz üzerinde yarı çıplak halde Tatavla'nın eğri büğrü, dar sokak ve yokuşlarından koşup yangına yetişmek şüphesiz kolay bir iş değildi. Hele ilk zamanlar 120-130 kiloyu bulan tulumba sandığının ağırlığı da bu olumsuz şartlara eklenirse.

Tatavlalılar ahşap evlerinin ve dar sokakların yangın riskini çok iyi bildiklerinden, mahallelerinin Rum gençlerinden oluşan tulumbacıların bazı taşkınlıklarını görmezlikten gelmeyi tercih ederlerdi. Reşat Ekrem Koçu "İstanbul Tulumbacıları" adlı kitabında Tatavlalı tulumbacı Zimeros'dan bahsederken, kendisi hakkında elde başka bir bilgi olmadığını vurgular. Yunanlı yazar Kimonas N. Engonupulos Atina'da yayınlanan "İstanbul Yangınları ve Başıbozuk İtfaiye Teşkilatı Tulumbacılar" adlı kitabında şunları anlatıyor: *"Tatavlalı tulumbacılar özellikle 1880-1915 yılları arasında tüm İstanbul'da isim yapmışlardı. Bunların arasında Kleanthi Reis, Dayı Strati ve Dayı Aristidis özellikle tanınan ve çekinilen tulumbacılardı. Tatavla'nın Köyiçi, Gogovitsa, Ararat ve Tulpana bölgelerinde yangınlarda kullanılmak üzere 4 adet su vanası bulunmaktaydı. Tatavla'da kullanılan 6 adet yangın tulumbasına ilaveten İraklis Spor Kulübü de iki tekerlekli, zamanına göre oldukça ileri teknikle donanmış bir yangın söndürme aracına sahipti."*

Tatavla tulumbacılar koğuşunda 5 Nisan 1885 tarihinde yapılan sayımda tespit edilen malzemeler belgelenmiş:

3 yangın tulumbası, 5 boru, 9 hortum, 4 hortum kelepçesi, 20 balta, 17 kanca, 1 zincirli ip, 2 muşamba fener, 1 kamçı, 1 İngiliz anahtarı, 1 cam fener, 1 saç soba, 57 kova, 1 teneke maşrapa, 4 hasır, 1 ipli demir makara, 3 kalın ip, 1 büyük merdiven, 1 orta boy kancalı merdiven.

Kilise tulumbacılara yatacak yer, yakacak ve giyim yardımında bulunurdu. Tulumbacılar boş zamanlarında kendi mahallelerinde hamallık, cenaze taşıyıcılığı gibi ağır işleri de yaparak para kazanmaya çalışırlardı.

Ayios Athonasios Kilisesi.

TATAVLA KARNAVALI

Tatavla, İstanbullu Rumlar için asıl şöhretini her yıl "Büyük Perhiz"den önce düzenlenen geleneksel karnaval eğlenceleri ile yapmıştır. Günümüzde artık yaşlı İstanbulluların bile belleklerinden silinmekte olan bu eğlenceleri Türkler pek fazla yaşamasa da; hakkında çok şeyler işitmişlerdir.

Günümüzde oldukça tanınan, Almanya'nın Faşing eğlenceleri ya da Brezilya'nın Rio Karnavalı'nın küçük ve daha ilkel örneklerinin bir zamanlar Osmanlı İstanbulu'nda da yaşandığını duymak şaşırtıcı olabilir. İleri sürülen bir görüşe göre, karnaval eğlencelerinin kökenleri Antik Yunanistan'daki Dionisios ve Poseidon şenliklerine kadar varmaktadır. Ortaçağda İtalya'da ve özellikle Venedik'te rağbet gören bu gelenek, Venedikle çok sıkı ilişkiler içinde bulunan İyon Denizi'nden Yunan adalarına sıçramıştır. Bu adaların, İstanbul, İzmir, İskenderiye gibi kalabalık Rum topluluklarının yaşadığı, Doğu Akdeniz'in büyük liman şehirleri ile olan bağlantısı ile de karnaval adeti buralara kadar yayılmıştır. Apokria (karnaval) eğlenceleri günümüzde Yunanistan'da devam etmektedir. Özellikle Patras ve Pire şehirleri karnaval alayları ile ün yapmıştır.

İstanbul Rumlarının çok sevdiği karnaval eğlencelerine Galata ve Pera'da rastlanmakla beraber, İstanbul'da karnaval denilince akla gelen ilk yer Tatavla olmuştur. İstanbullu Rumların "Apokria" adını verdikleri ve günlerce süren karnaval eğlenceleri değişken takvime göre Şubat sonu veya Mart başında, mutlaka pazartesi gününe rastlayan "Kathara Deftera" günü doruğuna ulaşır ve son bulurdu. İstanbulluların "Baklahorani" günü de dedikleri bu günden sonra herkes evine kapanır, perhiz ve ibadetle vakit geçirerek Büyük Paskalya Yortusunun gelmesini beklerdi.

Karnaval eğlenceleri kimilerine göre, halkın senenin birkaç günü biraz taşkınlık yaparak rahatlamasını sağlayan masum bir eğlence; kimilerine göre ise dini ve toplumsal kuralları hiçe sayan bir felaketti.

Karamanlı yazar Evangelinos Misailidis, karnavalı şöyle yorumlamaktadır: "Bu tür eğlencelere ibret almak için hayatta bir kere gidilmeli, ancak tekrarından ahlaki ve toplumsal açıdan sakınılmalıdır. Gençler veya kırkından sonra azanlar çeşitli kılıklara girerek, yüzlerine maskeler takarak eğlencelere katılırlar. Yenilir, içilir, hafif flörtler olur. Ama sık sık işi daha da ileriye götürenlere rastlanır. Herkes maskeli olduğu için tanınmadan kaçamak yapmak isteyenler için bulunmaz bir fırsattır."

Kathara Deftera günü Tatavla halkı kadar, İstanbul'un diğer semtlerinden akın akın gelen Rumlar da Ararat, Panorama, Akropolis, Paris, Lemonia gibi meyhane ve gazinolarda gönüllerince eğlenirlerdi. Kötü şöhretli sokakların, hafif meşrep dilberleri karnaval kıyafetleri ile ve laternaların eşliğinde, kimi at üzerinde, kimi yürüyerek, gruplar halinde, güle oynaya Dolapdere'den Akarca yokuşu yoluyla Tatavla'ya tırmanırlardı. Bu kadınlar, diğer kadınlardan kendilerini ayırmak için özel kıyafetler giymek zorundaydılar. Genellikle kadife tayyör; kısa kadife pantolonlar giyer, aynı kumaştan yapılmış sim veya sırma işli denizci şapkaları ve siyah ipek çorapları ile giyimlerini tamamlarlardı. Yüzlerinde de mutlaka kadife ve ipekten yapılmış bir maske bulunurdu.

Maria Yordanidu "Loksandra" adlı kitabında Tatavla karnavalını şu şekilde anlatıyor: "Büyük Perhiz'den önceki Baklahorani günü gelince, İstanbul'un her köşesinden gelen Rumlar şarkılar ve türküler söyleyerek Tatavla'ya toplanırlardı. Genç kız grupları şarkılar söyler çocuklar kayık salıncağında

sallanır veya kordela ve bayraklarla süslü atlı karıncalara binerlerdi. Tatavla'nın delikanlıları ise İstanbul Rumlarına mahsus dans ve oyunları sergilerlerdi. Eğlence kıvamını bulmaya başlayınca, Barba Todori'nin laternasının neşeli nağmeleri ve o yılların moda şarkıları işitilirdi:

Karoçeri Trava, na pame sta Tatavla
Posa Talira yirevis, ya na pas ke na
mas feris!

Çek arabacı Tatavla'ya gidelim.
Bizi oraya götürüp getirmek için
kaç beşlik istersin!

veya

Büyükdere ke Therapia; Tatavla ke Nihori
Afta ta tessara horia, pu stolizune tin Poli!

Büyükdere ve Tarabya; Tatavla ve Yeniköy
İstanbul'u güzelleştiren işte bu dört köy.

Eleni Halkusi de Tatavla karnavalına değinmeden geçemiyor: "Karnaval İstanbul'da özellikle katıksız bir Rum mahallesi olan Tatavla'da bir başka coşku ile kutlanırdı. Büyük Perhizden önceki son pazartesi günü Baklahorani adı verilen eğlenceler düzenlenirdi. Böyle zamanlarda, halkı bazen uzun süre meşgul eden skandallar da yaşanırdı. Tanınmış ailelere mensup kadınlar, yüzlerine maske takıp gizlice geldikleri Akropol veya Ararat gibi meyhanelerde tanıştıkları erkeklerle kısa ama unutulmaz maceralar yaşama fırsatını bulurlardı. Bu tür eğlenceler sadece Hıristiyanlara ve özellikle Rumlara mahsustu. Başka topluluklar, hele Türkler Tatavla'ya adım bile atmazlardı. Galata ve Pera'da başlayan eğlenceler, karnaval geçidi ve şarkılarla Tatavla'da son bulurdu. Yunan kıyafeti olan "Fustenella" giymiş delikanlılar, o zamanların çok sevilen bir müzik aleti olan laterna eşliğinde "Sirto" ve Kasapiko" gibi Rum oyunlarını oynarlardı. Ayios Dimitrios Kilisesi'nin önündeki meydanda başlayan cümbüş, ilerleyen saatlerde tüm mahalleye yayılırdı. Eğer hava iyi olursa, daha edepli eğlenmek isteyen aileler çevredeki bahçe ve bostanlara yayılarak piknik yaparlar ve büyük bir zevkle uçurtma uçururlardı. Yılda bir defa yaşanan bu büyük eğlenceyi kaçırmamak için, sabahın erken saatlerinden itibaren herkes Pera ile Tatavla'yı birbirine bağlayan Akarca Yokuşu üzerinde bulunan akraba ve arkadaş evlerine akın ederek, pencere ve balkonlara yığılırlardı.

Bugün bile tartışma konusu olan, şorta yakın kısalıktaki kadın pantolonlarının Sultan Abdülhamit'in hüküm sürdüğü, Osmanlı başkenti İstanbul'da o günlerde rahatça giyilmiş olmalarına şaşmamak elde değildir."

Tatavla karnavalı 1. Dünya Savaşı'na kadar bütün hızı ile sürmüş; savaş yıllarındaki duraklamasından sonra, 1918-1923 Mütareke ve İşgal yıllarında iyice çılgın bir hal almıştır. Cumhuriyet İstanbulu Rumların bu sokak eğlencelerini pek hoş karşılamasa da; anlayış göstermesi sonucu karnaval eğlenceleri gün geçtikçe eski hızını kaybederek II. Dünya Savaşı yıllarına kadar gelmiştir.

Karnaval günleri o günkü basında da yer almıştır: "Dünkü bahar güneşi karnaval eğlencelerine güç verdi. Akarca Yokuşu'ndan ve Kurtuluş Caddesi'nden binlerce insan Tatavla'ya aktı. Pangaltı Katolik Mezarlığı'ndan Kurtuluşta'ki Ayios Dimitrios Kilisesi'ne kadar yol kalabalıktan geçilmiyordu. Eğlencenin merkezi her zamanki gibi Ararat gazinosu civarıydı. Kilisenin önündeki meydan, oynanan kasap havaları ile panayır yerine dönerken; kilisenin duvarına dayanarak hatı-

ra fotoğrafı çektirecek müşteri bekleyen seyyar fotoğrafçılar da iyi iş yaptılar."

(Apoveymatini Gazetesi, İstanbul, 8 Mart 1938)

"Bu yıl Tatavla'da toplanan kalabalığa rağmen; eğlencenin ve gelenlerin seviyesi oldukça düşüktü. Yeşil Taverna'dan yükselen "Maro Maro, Mia Fora İne Ta Niata" şarkısı ile coşanlar, çeşitli kılıklara girmiş ve kendilerine birinin sataşması halinde kavgaya hazır bekleyen mamaların eşliğinde dolaşan, Pera'nın malum yosmalarını seyrederek eğlendiler."

(Apoveymatini Gazetesi, İstanbul, 21 Şubat 1939)

"Bu sene karnaval eğlenceleri hüzünlü bir hava içinde sona erdi. Dün akşamüstü Ayios Dimitrios Kilisesi'nin sağındaki geniş meydan hemen hemen boştu. Tramvaylar da çok az yolcu ile Kurtuluş Meydanı'na geliyorlardı. Ararat Gazinosu'nda ise karnaval eğlencelerinin 45 yıllık müşterisi Pera'lı öğretmen ile bol pudralı Eleniça bu yıl yoktular. Hiç kimse maske takmamıştı ve gazinoların müşterileri sayılıydı. Yaşanan tek canlılık Akarca Yokuşu, Köyiçi ve Ayios Athanasios Kilisesi'nin civarındaki evlere yapılan ahbab akraba ziyaretleri idi. Bu evlerin camları geleneksel olarak yine temizlikten parlamaktaydı. Kısacası dün karnaval yoktu. Karnaval artık anılarımızda kaldı."

(Apoveymatini Gazetesi, İstanbul, 17 Şubat 1942)

II. Dünya savaşının karartma geceleri, askere çağrımları ve Varlık Vergisi gibi olumsuz etkileriyle Rumların ağzının tadı kalmayınca; eğlence, sokaklardan gazino ve meyhanelerin içlerine çekilmiştir. Günümüzde İstanbul'da bir avuç kalan Rum cemaati, bu eski geleneği bir veya iki tavernada toplanıp eğlenerek sürdürmeye çalışmaktadır. (1998)

TATAVLA'DA TİYATRO FAALİYETLERİ

Tatavla'da hiçbir zaman başlıbaşına bir tiyatro binası bulunmamasına rağmen; 1870'lerden itibaren burada çeşitli amatör ve profesyonel tiyatro toplulukları tarafından temsiller (Rumca olarak) verilmiştir.

Sofoklis isimli amatör tiyatro derneğinin oyuncuları zaman zaman profesyonel oyuncularla da işbirliği yaparak ve Fukaraperver Derneği'nin salonunu kullanarak 1883-1884 yıllarında başarılı oyunlar sergilemişlerdir. Bu derneği, amatör oyuncuları arasında S.Hrisopulos, L. Valsakopulos, M. Fotopulos, S. Komninos, Ks. Ksanthopulos, Georgiadis, İ. Arvanitakis, G. Lambikis, Nikolaos Arvanitakis, Vasilios Theofilidis, İ. Zervudakis, K. Nikolaidis, A. Longo., D. Karvanise, E. Mihailidis, G. Monapulos ile bayan oyuncculardan Terpsithea Papadopulu, Maria Konstantinu, Ekaterini ve Eleni Yannulaki'nin isimleri sayılabilir.

Daha eski yıllara gidilince, 1868'de kurulan ve kısa süre faaliyet gösteren "Eshilos" adlı bir tiyatro derneğine daha rastlamaktayız.

1878-1888 yılları arasında faaliyet gösteren "Ellinikos Agathoergos Thiasos Tataulon" isimli amatör tiyatro topluluğu sağladığı geliri okul ve hayır derneklerine maddi katkıda bulunarak değerlendirmiştir.

Tatavla'da Theofrastu'nun güzel manzaralı bahçesi denilen yerde, Sokratis Pahulos tarafından işletilen yazlık tiyatroda 1883-1884 ve 1885 yıllarında halkın oldukça ilgi gösterdiği oyunlar sergilenmiştir. Söz konusu tüm oyunlar, Tatavla'nın nüfus yapısının doğal bir sonucu olarak Rum oyuncuları tarafından Rumca oynanmıştır.

TATAVLA'DA SPOR FAALİYETLERİ

Bilindiği kadar, İstanbul'da ilk sistematik spor çalışmaları Tatavla'da başlamıştır. 6 Nisan 1896'da Tatavla'da Rumlar tarafından kurulan İraklis (Yunan mitolojisinde güç ve kuvvetin sembollerinden tanrı Herakles'e atfen "y.n.") isimli jimnastik kulübü her ne kadar bünyesinde Türk unsurlara yer vermese de; Osmanlı başkentinde kurulan ilk spor kulübü olarak spor tarihine geçmiştir.

Kuruluşundan 10 yıl sonra, İraklis Kulübü yerine oturmuş ve adından söz edilen bir kurum haline gelmiştir. 1906 yılında, Atina'da yapılacak olan Ara Olimpiyatlarına katılmaları için olimpiyat komitesi tarafından, İstanbul'da bulunan 5 Rum spor kulübüne çağrı yapılmıştır. Bunlar Tarabya Jimnastik Kulübü Olimpia, Boyacıköy Jimnastik Kulübü Thisevs, Arnavutköy Jimnastik Kulübü, Pera Jimnastik Kulübü Ermis ve Tatavla Jimnastik Kulübü İraklis'dir. (Tahidromos Gazetesi, Konstantinupolis, 01.09.1905)

Osmanlı Devleti, Atina'da yapılan ve görkemi İstanbul'a kadar ulaşan bu olimpiyatlara resmen katılmamakla birlikte; Tatavla İraklis Kulübü'nden birkaç sporcunun kendi imkanları ile Atina'ya gidip oyunlara katılmasına göz yummuştu. Greko-romen dalında orta siklet güreşçiler Yeorgios Zueris ve Menelaus Karotseris; maraton dalında Alkiviadis Zelepopulos, eskrim dalında A.Kritikas, pentadlon dalında Yorgo Alibrandi ve aletli jimnastik dalında kardeşi Nikolaos Alibrandi 1906 Atina oyunlarına katılan belli başlı Tatavla'lı sporculardır.

Osmanlı uyruklu ve Galatasaray Sultanisi öğrencisi olan Nikolaos Alibrandi'nin aletli jimnastik dalında hiç beklenmedik bir şekilde altın madalyayı kazanması bir anda ortalığın karışmasına neden olmuştur ve Osmanlı Devleti ile Yunan Krallığı'nın arasında bir diplomatik sorun yaratmıştır. Tatavla'lı sporcunun altın madalyayı kazandığını gören ve oyunları izleyen Osmanlı sefiri, sporcunun Osmanlı vatandaşı olduğunu ileri sürerek şeref direğine Osmanlı bayrağının çekilmesini talep etmiştir. Öte yandan Yunanlılar ise; Osmanlı vatandaşı da olsa; Yunan soyundan geldiği için göndere Yunan bayrağının çekilmesi için ısrar etmişlerdir.

Nikola Alibrandi
1906 Atina Olimpiyatlarında aletli jimnasti dalında Tatavla'yı temsil etmiştir.

Cumhuriyet döneminde "Kurtuluş Gençlik Kulübü", "Kurtuluş Spor Kulübü" gibi isimler alan İraklis Jimnastik Kulübü başarılarını 1930'lu, 1940'lı, 1950'li yıllarda da sürdürmüştür. Kulüp binası 1929'daki büyük yangından mucize eseri kurtulmuş; ancak 6-7 Eylül 1955 olaylarında büyük zarar görmüştür. 1996 yılında 100. yılını kutlayarak günümüze kadar gelmeyi başarmıştır.

Tatavla'da 1911 yılında Asteros ve Kinegiros adlı iki futbol takımı kurulmuştur. Antremanlar ve futbol karşılaşmaları için uzun yıllar Ayios Eleftherios mezarlığının karşısındaki açık alan futbol sahası olarak kullanılmıştır. 1913 yılında Tatavla'da sporun çeşitli dallarında faal olan atlet sayısı 385 kişiyi bulmuş ancak 1914 yılında Osmanlı devletinin 1.Dünya Savaşı'na katılması ve gençlerin askere çağrılmaları ile bu parlak dönem tarihe karışmıştır.

Mütareke ve İstanbul'un işgali yıllarında (1918-1923) kuruluş amaçlarının dışına çıkarak Venizelos yanlısı propagandaya katılmış olan Proodos Derneği'nin yöneticileri 1923'de alel acele İstanbul'u terkedince, bu derneğin bir anda sahipsiz kalan görkemli neoklasik binasının kurtarılması için, İraklis Jimnastik Kulübü, Proodos Derneği ile birleştiğini ilan ederek, kendi yetersiz binasını terketmiş ve Proodos Derneği'nin binasına geçmiştir. Bu binanın arkasında bulunan ve Sir Basil Zaharof'un para yardımı ile yaptırılan "Zaharofio" adlı salon, İstanbul'un en eski kapalı spor salonlarından birisidir.

EVLİLİKLER

Osmanlı başkenti İstanbul'da yaşamakta olan ve imparatorluğun farklı din ve uluslarından insanların karma evlilikleri bu şehirde duyulmamış olaylardan değildi. Bir bakıma Osmanlı sarayı bu işe öncülük etmişti. Doğal olarak Hıristiyan kızın bir Müslümanla evlenmesi Müslümanlar tarafından memnuniyetle karşılanıyordu. Ancak kız Müslüman olmadıkça nikahı kıyılamazdı. Müslüman bir erkekle evlenen Hıristiyan kızı ailesini, cemaatini, dilini, dinini, adetlerini ve tüm geçmişini gözden çıkarmak zorundaydı. Tatavla'nın Rum kızlarının zaman zaman bir Türk'e gönül vermeleri ortalığı karıştırır ve Rum cemaatinde sıkıntılar yaratırdı. Tıpkı bunun gibi, Tatavla'nın Rum delikanlılarından biri bir Türk kızını severse; o da her şeyini bırakıp Müslüman olarak sevdiğine kavuşma şansına sahip olabilirdi. Bu maceralar bazen mutlu sonla, bazen de hüsran ve acı ile son bulurdu.

Bu konuda Tatavla'dan kitaplara yansımış iki örneği belirtmeden geçmeyelim: "İhsane Hamın'ın geçmişi çok ilginçti. Tatavlalı bir Rum ailesinin kızı olan İhsane Hanım, Osman Bey'i Tatavla'da Rumların Paskalya Bayramı'nda yapılan panayır sırasında tanımış ve sevmişti. Onaltı yaşında bir kız iken evinden kaçmış, kilisesini terk ederek, Osman Bey'in evinde Müslüman olmuştu."

(Ali Neyzi, Hüseyin Paşa Çıkmazı No.4 İstanbul, 1983 s.45-46)

"Tatavla'nın Rum kızları sefaletten veya koca beklemekten bıkınca ve de Müslümanların, mesela bir Sultan Yaverinin yanındaki rahat yaşamı tercih etmeye kalkışınca; derhal annelerinin ve papazların yardımı ile geçirdiği bunalımdan kurtulması için, Rum hastahanesinin deliler koğuşuna, gerçek delilerin yanına kapatılırlardı."

(Evangelinos Misailidis 'Hz.R.Anherger-V.Günyol' Seyreyle Dünyayı 'Temaşa-ı Dünya ve Cefakar u Cefakeş' İstanbul, 1988 s.119)

Yorgo Alibrandi
1906 Atina Olimpiyatlarında pantetlon dalında Tatavla'yı temsil etmiştir.

SOSYAL YAŞAM

Tatavla, 19. yüzyılın sonunda polisiye olaylar açısından oldukça korkutucu bir görüntü vermektedir. İstanbul'un gündelik Rumca basınında kalabalık, kozmopolit ve belalı liman semti Galata'nın yanı sıra, Tatavla ile ilgili polisiye olaylara sık sık rastlanmaktadır.

Tahidromos Gazetesi'ne Tatavla'dan yansıyan olaylar şu şekildedir:

15.06.1899

Dün sabaha karşı saat 03'te Tatavla'nın Sinemköy mevkiinde Karabet isimli bir Ermeni'nin evine hırsızlık amacı ile girmeye çalışan Panayotis Tapas, o sırada dolaşmakta olan bekçi tarafından görülmüştür. Dur ihtarına karşılık teslim olmak yerine bıçak çeken Tapas, bekçinin ateş etmesi üzerine ölü olarak ele geçirilmiştir. Yapılan incelemeden sonra Tapas'ın cesedi Ayios Dimitrios Kilisesi'nin avlusuna götürülmüştür.

25.07.1899

Dün Tatavla'nın Duvarcıdika mevkiinde yaralanmış olan 25 yaşındaki kunduracı akşam saat 6 sıralarında ölmüştür. Doktorların bildirdiğine göre ölümün nedeni durdurulmayan kanamadır. Kendisini yaralayıp ölümüne sebep olan kişinin Yanko isimli sabıkalı bir hırsız olduğu anlaşılmıştır.

27.08.1899

Önceki gün Tatavla'nın Çöplükbaşı mevkiinde Koço isimli birisi alacak meselesi yüzünden Kosti isimli sütçüyü yaralamıştır.

30.08.1899

Geçen gün sandalyeci Yani'nin 15 yaşındaki oğlu Koço, Nevruz adında biri tarafından kiralanmış olan, Ayios Athanasios Kilisesi'ne ait bir bostana girerek bir kaç incir koparmıştır. Bahçıvan çocuğu yakalamış ve elbisesinin yırtılmasına sebep olmuştur. Nevruz, dün yetiştirdiği sebzeleri satmak için Tatavla'nın sokaklarında dolaşırken; çocuğu, oturduğu Hiotika mevkiine gelmiştir. Koço adamı tanıyıp, yırttığı elbisesini ödemesini söyleyince, Nevruz bıçağını çekerek çocuğun göğsüne saplamıştır.

Çocuk aldığı yaraya rağmen adamın üstüne atılmış ve yardım istemek için bağırmaya başlamıştır. Bunun üzerine iyice çıldıran bahçivan ikinci bir bıçak darbesi ile çocuğun boğazını kesmiştir. Yardıma koşan Yani Purdulas isimli bir delikanlı Nevruz'u Kulaksız'a kadar kovalamıştır. Ancak burada kalabalık tarafından taşa tutulunca arkasını bırakmak zorunda kalmıştır.

18.10.1899
Tatavla'da sarhoşların çıkardığı olayların artması üzerine, polis bu semtteki içki satışını yasaklamıştır.

18.10.1899
Tatavla'nın Dolapdere'ye inen Akarca Sokağı'ndaki bir meyhanede içki içen Osman ve Feyzullah isimli iki fırıncı sarhoş olup Kosti ve Mihal isimli şahıslarla kavgaya tutuşmuşlardır. Çeşitli yerlerinden yaralanan Osman ve Feyzullah hastahaneye gönderilmiştir. Saldırganlardan Mihal tutuklanmış olup; Kosti polis tarafından aranmaktadır.

21.10.1899
Tatavla'daki Direkçibaşı Sokağı'nda Dimitri isimli bir tulumbacıyı bıçakla ciddi şekilde yaralayan basmacı Yorgo ortadan kaybolmuştur.

19.12.1899
Dün Tatavla'da sarhoş bir halde iken arkadaşı Zaharia'yı yaralayan çalgıcı Koço polis tarafından aranmaktadır.

19.12.1899
Tatavla'nın Papaz Köprüsü mevkiinde kasıtlı yangın çıkarma olayları devam ederken polis de yılmadan sabotaj yapanları takip ediyor. Son olarak üç kişi oldukları sanılan kişilerce çıkarılan yangın polisin zamanında müdahalesi sonunda söndürülmüştür. Üç kişiden ikisi kaçmayı başarırken, üçüncüsü yakalanmıştır.

20. YÜZYILIN İLK YILLARINDA TATAVLA

Tatavla, 20. yüzyıla kiliseleri, okulları, mezarlığı, hayır dernekleri, spor kulübü, hamamı ve tiyatro salonu ile girmiştir. İstanbul'un çeşitli semtleri arasında, Pera'dan sonra en kalabalık Rum topluluğunun yaşadığı bir yer haline gelmiştir. Sultan II. Abdülhamit'in saltanatının 20. yüzyıla sarkan son 7-8 yılı, Tatavla halkının da en fazla geliştiği, oldukça rahat yaşadığı ve kendisinden söz ettirdiği bir dönemdir.

Zaman zaman, soygunlar ve hırsızlıklar olsa da; genellikle sosyal yaşam her alanda kendisini göstermektedir. İstanbul'un gündelik Rumca gazetelerinden Tahidromos'a Tatavla'dan yansıyan haberler, bizlere o döneme ait bilgiler vermektedir.

7.1.1900

Daha önce defalarca yazdığımız gibi, Tatavla'nın Papaz Köprüsü mevkiinde huzursuzluk bitmiyor. Önceki gece alaturka saatle 1'de bakkal Hristo'nun evi yan tarafından tutuşmuştur. Yapılan inceleme sonunda, evin yanında boş gaz tenekeleri bulunmuştur. Yangının kasten çıkarıldığı iddia edilmektedir.

10.1.1900

Konstantinos Rahtsopulos ile Ralu Kastanaki evlendiler.

22.1.1900

St. Zafiropulos'un mirasından Tatavla erkek okuluna 572.75, Tatavla kız okuluna 530.35, Evangelistrias erkek okuluna 254.25 ve Evangeles kız okuluna 246.10 altın Frank ayrılmıştır.

14.2.1900

Tatavlalı tanınmış mimar Yeorgios Limoncuoğlu, dün sevdiklerinin arasında bu dünyadan ayrıldı. Yaşı sekseni aşan Limoncuoğlu'nun ölümü Tatavla ve Evangelistrias semtinde büyük üzüntü yarattı.

23.2.1900

Bu kadar yoğun bir kalabalığın toplandığı Tatavla'daki karnaval günü hiçbir tatsız olayın meydana gelmesine izin vermeden düzenin sağlanması, örnek teşkil edecek kadar büyük bir başarıydı. Bu kalabalık semtin güvenlik teşkilatına ve özellikle onların başında bulunan İshak ve Mustafa Efendi'lere asayişin bozulmaması ve insanların huzur içinde eğlenebilmelerinin sağlanması için gösterdikleri çabalardan dolayı teşekkür etmemiz gerekir.

28.2.1900

Yarın, Salı akşamı saat 8.30'da doktor N.Makridis, Tatavla Fukaraperver Derneği'nin büyük salonunda alkolizm konulu bir konferans verecektir.

4.3.1900

Hristos Eksercioğlu ile Smaro A. Tsohopulu nişanlandılar.

11.4.1900

Yaklaşan Paskalya Yortusu nedeni ile Tatavla Fukaraperver Derneği yine fakirlere karşı şefkatini göstermiştir. Geçen Perşembe günü, Tatavla'nın fakir ailelerine toplam 4000 Kuruş'u bulan maddi yardım yapılmıştır.

15.4.1900

Dün öğle saatlerinde Tatavla'daki Moisi Sokağındaki evinin penceresinden sokağa düşen 12 yaşındaki Aristidi isimli çocuk hayatını kaybetmiştir.

27.4.1900

Dün akşam saat 7'de Tatavla'daki Hacı Ahmet Mahallesinde Dimitri isimli bir sütçü kahveci Ahmet tarafından bıçakla yaralanmıştır. Polis derhal sanığı yakalamış; yaralının tedavisi ise, eczahane yetersiz kalınca doktor Makridis tarafından yapılmıştır.

1.5.1900

Dün gece Tatavla'nın Evangelistrias semtinde Stelio ve Yanni isimli iki kişi bıçakla birbirlerini yaralamışlardır.

19.7.1900

Dün akşam alaturka saatle 12'de Tatavla'da Ayios Dimitrios Kilisesi ve Fukaraperver Derneği'nin binasından az ileride bulunan, Bay Tranopulos'un evinde yangın çıkmıştır. Büyümeye başlayan yangın tulumbacıların ve semt halkının çabaları ile kısa sürede söndürülmüştür.

13.1.1901

Sultan II.Abdülhamit'in tahta çıkışının 25. yılı kutlamalarına Tatavla halkı da büyük şenliklerle katılmıştır. Sabah, Ayios Dimitrios Kilisesi'nde Tatavla'nın tüm dini ve cemaat liderlerinin katıldığı ve Padişah'ın sağlığına dua edilen bir şükran ayini yapılmıştır. Akşam olunca Tatavla, günlerce önceden hazırlanan havai fişeklerin atılması ile neşeli saatler yaşamıştır. Tatavla'nın bayraklarla süslenen evlerinin yanı sıra; Ayios Dimitrios Kilisesi, Fukaraperver Derneği'nin binası ve erkek ilkokulu fenerlerle süslenmiştir. Ayios Dimitrios Kilisesi'nin bahçesine, yapılacak kutlama törenlerine davet edilen sivil ve askeri görevlileri kabul etmek için halılar ve kumaşlarla süslü bir çardak hazırlanmıştır. Fukaraperver Derneği adına Rumca bir konuşma yapan, Th. İsihidis'in konuşmasını doktor Makridis Türkçe'ye çevirmiştir.

Daha sonra, Fukaraperver Derneği'nin çok güzel bir şekilde süslenmiş olan tiyatro salonuna geçilmiş ve orada hazır bulunanların alkışları arasında "Hamidiye" marşı dinlenilmiştir. Orkestranın konseri gece yarısına kadar sürmüş ve Tatavla'nın birçok tanınmış ailesinin katıldığı balo sabahın ilk saatlerine kadar devam etmiştir.

16.2.1901

Çarşamba akşamı saat 6.30 civarında Bay Kozma Sferopulos'un Tatavla'daki evine giren hırsızlar, çeşitli giyim eşyası çalmıştır.

30.3.1901

Bir kuduz köpeğin ısırması sonucunda genç yaşta ve acı bir şekilde aramızdan ayrılan Tatavla Erkek Okulu'nun müdürü Eleftherios Aristoklis için dün Tatavla'da tüm dini ve cemaat yöneticileri, öğretmenler ve öğrencilerin de hazır bulunduğu büyük bir cenaze töreni yapılmıştır.

31.08.1901

Dün Tatavla'daki Ayios Dimitrios Kilisesi'nin kuyusuna düşen Nikolaos Kazakos isimli 12 yaşındaki bir çocuk boğulmuştur.

29.11.1901

Bu akşam, Tatavla'daki Fukaraperver Derneği'nin salonunda Bay Spanudis tarafından Kapalı Çarşı'yı konu alan ilginç bir konferans verilecektir.

7.12.1901

9 Aralık tarihli önümüzdeki Pazar günü, Tatavla'daki Fukaraperver Derneği kuruluşunun 40. yılını kutlayacaktır. Ayios Dimitrios Kilisesi'nde yapılacak Pazar ayininden sonra, Patrikhane temsilcisinin, Derneğin hamisi Rus Sefareti temsilcisinin ve Yunan Büyükelçisi Bay Nikolaos Mavrokordatos'un katılımları ile Dernek salonunda kutlama töreni yapılacaktır.

9.1.1903

Dün öğle saatlerinde Tatavla'da tüm semt halkını ayağa kaldıran bir olay yaşanmıştır. Günlerden beri aralıksız devam eden kötü hava şartları ve kar yüzünden Tatavla'da Hacıyannu ailesine ait ev çökmüştür. Çöküntüye çatının bir köşesine yığılan kar ve buzlar neden olmuştur. Canlarını kurtaran ev sahipleri, yıkıntıların arasından eşyalarını çıkarmaya çalışırken; komşularından 15 yaşındaki İraklis ve 17 yaşındaki Manolis isimli iki genç yardımlarına gelmiştir. Yakmak amacı ile yıkıntıların arasında gördükleri bir ahşap direği çıkarmak için zorlayan gençler, aslında bitişik eve ait olan bu direği zorlarken yandaki evin çöken duvarının altında kalmışlardır. Yardıma koşanların çabalarından sonra yıkıntılardan yaralı olarak çıkarılan gençler önce yaralarının temizlenip yıkanması için semtin hamamına götürülmüşlerdir. Daha sonra doktor Nikolaus Makridis tarafından kendilerine tıbbi müdahale yapılmıştır.

6.3.1903
Tatavla okullarının eski yönetim kurulu başkanı Bay İoannis Fotiadis'in ölümü nedeni ile cenaze günü Tatavla'nın okullarında derslere ara verilecek ve semtin kiliselerinin çanları matem temposunda çalacaktır.

10.4.1903
Yarın Zoodohu Pigi Yortusu nedeni ile Tatavla'nın Ayios Athanasios kilisesinde dini ayin yapılacaktır.

19.6.1903
Tatavla'nın pis sularını toplayacak olan kanalizasyon sisteminin yapımına Padişah'ın tahta çıkmasının yıldönümü olan 10 Ağustos günü başlanacaktır.

20.11.1903
Tatavla'da bulunan İraklis Jimnastik Kulübü'nün sporcu üyelerinden Aleksandros Kostara'nın beklenmedik acı ölümü üzerine kulüp başkanlığı jimnastik kulübünün çalışmalarını merhumun anısı için üç gün durdurma kararı almıştır.

26.1.1904
Şehrimizin gömlek piyasasının tanınmış isimlerinden Stamatis Papadopulos ile eşi Olga İnglesi'nin bebeklerinin vaftiz töreni, dün Tatavla'da akraba ve dost çevresi içinde yapılmış ve bebeğe Yerasimos adı verilmiştir.

2.2.1904

Tatavla'da, saygıdeğer Metropolit Melissinos'un başkanlığında, kiliselerin ve okulların yöneticilerinin tespiti için cemaat seçimleri yapılmıştır. Tahminen 200 kişinin hazır bulunduğu toplantıda 10 kişi olay çıkararak seçimleri engellemeye çalışmıştır. Metropolit Melissinos'un gayretleri ile alınan önlemlerden sonra seçimler yapılabilmiştir. Polis gözetiminde yapılan seçim sırasında 173 kişi oy kullanmıştır.

3.2.1904

Tatavla okullarının yararına, geçen Cumartesi akşamı Tepebaşı Tiyatrosu'nun salonunda düzenlenmiş olan balo bu alanda yeni bir sayfa açacak kadar başarılı geçmiştir. Tiyatro salonu Osmanlı bayrakları, Tatavla'nın okullarının isimlerini vurgulayan altın yaldızlı harfler, tropikal çiçekler ve İran halıları ile süslenmiştir. Saat 10'da orkestra Osmanlı milli marşı Hamidiye'yi çalarak açılışı yapmış ve büyük alkış almıştır. Yunan sefiri ekselans Griparis, orkestrayı selamladıktan sonra; kendisi için ayrılmış olan locaya geçmiştir. Balo davetiyesi ve piyangoya 25 Lira veren Fehim Paşa'nın yanı sıra, İspanya ve Belçika Sefirleri de baloya katılmıştır. Şehrimizin tanınmış Rum ailelerinin de hazır bulunduğu balo konfeti yağmuru altındaki danslarla sabahın ilk saatlerine kadar sürmüştür.

12.2.1904

Tatavla Fukaraperver Derneği'nin, Rus Sefiri Ekselans Zinovief'in himayeleri altında örgütlemiş olduğu balo münasebeti ile Padişah hazretleri, derneğin hayırsever amaçları doğrultusunda kullanılmak üzere 25 Osmanlı Lirası bağışta bulunmuştur.

17.2.1904

Eglisiastiki Alithia mecmuasında yayınlanan Patrikhane istatistiklerine göre; 1903 yılında Tatavla'nın A. Dimitrios Kilisesi'nde 205 vaftiz, 68 düğün, 240 cenaze töreni; Evangelistrias semtinde ise 138 vaftiz, 32 düğün, 65 cenaze töreni yapılmıştır.

30.9.1905

Kalyoncu Kulluk Sokağı'nda meyhanecilik yapan, Mürefteli Yoakim isimli şahıs, sarhoş olarak geldiği, Tatavla Papazoğlu Sokak'ta meslektaşı meyhaneci Manoli'yi dükkanının kapısında otururken bıçakla yaralamıştır.

Sultan II.Abdülhamit döneminde Tatavla Karnavalından bir görüntü.

TATAVLA'YA TRAMVAY İŞLETİLMESİ

Sultan Mehmet Reşad'ın hükümdarlığı döneminde yaşanan en büyük gelişme ise; Tatavla'ya ilk tramvayın gelmesidir. 14 Ocak 1911 günü Tatavla'ya gelen ilk tramvayı halk bir bayram havası içinde karşılamıştır. İstanbul'un diğer semtlerinden oldukça uzak kalan Tatavla halkı dik yokuşlardan, bitmek bilmeyen eğri büğrü merdivenler, çamurlu ve tehlikeli bostanlardan geçip şehrin diğer yerlerine gidip gelmekten büyük ölçüde kurtulmuşlardır.

11 numara ile Tünel-Tatavla hattında çalışan atlı tramvaylar Galatasaray-Taksim-Harbiye-Pangaltı yolu ile Tatavla'ya Ayios Dimitrios Kilisesi'nin bahçe duvarlarına ulaşmaktaydı. 1914'den sonra hizmete giren elektrikli tramvayların da hizmetten kaldırıldıkları 1961 yılına kadar tam 50 yıl tramvay Tatavla halkına büyük kolaylık sağlamıştır. Tramvay hattı ile Tatavla Caddesi (Bugünkü Kurtuluş Caddesi) hızla gelişmeye başlamış ve yükselen apartmanlara hali vakti yerinde Rum aileleri yerleşmiştir.

1912 YILININ OLAYLARI

II. Meşrutiyet'in ilanından sonraki yıllar içinde İttihat ve Terakki yönetiminin milliyetçi görüşlerinin gittikçe ağırlık kazandığı, Büyük Savaş öncesinde 1912 yılı özellikle sonbaharda patlak veren Balkan Savaşı ile hatırlanır. Osmanlının Yunanistan'la ciddi bir savaşa girip kısa zamanda pek çok şehir, kasaba ve adayı kaybetmesi İstanbul'da Türklerle Rumlar arasında soğuk rüzgarlar estirirken; doğal olarak Tatavla'yı da huzursuz etmiştir.

Bu arada II. Abdülhamit döneminin kişilik sahibi ve sözü dinlenir Rum Patriği III. Yoakim Efendi'nin ölümü de tüm İstanbul Rumları gibi Tatavla halkını da sarsmıştır. İstanbul'da Rumca olarak yayınlanan Tahidromos gazetesi 16.11.1912 tarihli nüshasında olaya şöyle değiniyor: "Patrik III. Yoakim'in vefatı nedeni ile Tatavla'da bulunan Asteros isimli futbol ve müzik kulübü faaliyetlerine bir ay ara vermiştir. Müzik bölümünde de beş gün süre ile ders yapılmayacaktır."

Balkan Savaşı'nın İstanbul'a yansıyan ve panik yaratan bir başka felaketi de İstanbul'a sığınan göçmenlerle taşınan ve kısa zamanda şehrin özellikle Müslüman mahallelerini saran kolera salgını olmuştur. Türklerle fazla teması olmayan Tatavla halkı bu salgını kurban vermeden atlatmıştır. Konuyla ilgili olarak İstanbul'da Rumca yayınlanan Tahidromos gazetesinin 8.1.1912 sayılı nüshasında bilgiler bulunmaktadır. "Şehrimizde 23 Ekim gününden beri görülen kolera salgını sırasında şimdiye kadar 2098 kişiye hastalık bulaşmış ve bunların 1022'si ölmüştür. Halen 1076 kişi tedavi görmektedir. Dün Tatavla'nın Papaz Köprüsü mevkiinde bir kolera vakası ortaya çıkmıştır." O yıllarda Patrikhanenin yayınlamakta olduğu ve zaman zaman Rum cemaati hakkında istatistiki bilgiler veren "Eglisiastiki Alithia" mecmuasından ise, Tatavla'da kaç vaftiz ve kaç düğün töreni yapıldığını ayrıntılı biçimde öğrenebiliyoruz.

I. DÜNYA SAVAŞI SIRASINDA TATAVLA

Osmanlı devletinin 1914 yılının sonbaharında Almanların zorlaması ile I. Dünya Savaşı'na girmesinin sonuçları kısa bir süre sonra ülkenin her yerinde olduğu gibi Tatavla'da da hissedildi. Müslüman ve Hıristiyan tebaya eşitlik getiren 1908 Anayasasının o zamanlar pek üzerinde durulmayan bu maddesi birden bire dehşetle hatırlandı. Tüm Osmanlı yurttaşlarını askere çağıran devlet, Osmanlı uyruklu Rumlardan da vatan hizmeti bekliyordu.

Padişahın ve hükümetin bildirilerini, tellallar Tatavla'da sokak sokak dolaşarak halka iletiyorlardı. Birçok kişi askere gitmemek için evlerinin tavanarası ve bodrumlarına gizlenmeyi tercih etti. İstanbul'un her köşesi gibi Tatavla'da da sessizlik ve korku hüküm sürüyordu. Savaşın getirdiği karaborsadan yararlanan bazı Rum tüccarlar kısa sürede zenginleşirken halkın diğer bölümünü yokluk dolu günler bekliyordu.

Çanakkale'den çok sayıda yaralı İstanbul'u doldurmaya başladığı zaman hastaneler kısa zamanda imkanlarını zorlamaya başladılar. Hükümet İstanbul'daki bütün büyük binalara geçici olarak el koydu, bunları hastane haline getirdi. Tatavla'daki İraklis Kulübü'ne ait bina da bu furyadan nasibini aldı ve geçici olarak askeri hastane haline getirildi.

"Hacı Manuil" adlı kitabında abartmalara ve fantezilere sıkça yer verdiği için eleştirilen İstanbullu yazar Thrassos Kastanakis o günleri şöyle anlatıyor: "Rivayete göre, Büyük Savaş sırasında bir gün Osmanlıların müttefiği olan Almanlar bir ihbar aldılar. Çanakkale'yi denizin altından aşıp gelen bir denizaltıdan gizlice karaya çıkan İngiliz subaylarını Rumlar korumaktaymış ve onları İstanbul'un en emin yeri olan Tatavla'da saklamaktaymışlar. Almanlar bu haberin doğruluğuna Türkleri de ikna ettikten sonra, Osmanlı polisinin Tatavla'da sıkı bir arama yapmasını talep ettiler. Ancak Osmanlı polisi kaçakların haber alarak İstanbul'un kalabalığı arasına karışmaları ihtimalini ileri sürerek bu işi erteliyordu. Aslında Osmanlı polisi Tatavla'nın içlerine kadar girip Tatavla halkına bulaşmamak için bahane arıyordu. Sonunda Almanlar bu işi muhbirleri Michel yoluyla ve sessizce hallettiler. Dört İngiliz yakalanarak kurşuna dizildi. Tatavla'da her gün ev değiştirerek onları sakladıkları iddia edilen yedi Rum ailesinden onüç erkek asıldı.

Muhbir Michel, 1920 yılında Tepebaşı'nda işlettiği barda, babası Tatavla hadisesinde asılmış olan Asimakis Papayorgiu adlı bir genç tarafından feci şekilde bıçaklanarak öldürüldü."

Büyük Savaş'ın sıkıntılarının İstanbul'da herkesi ümitsizliğe düşürerek zirveye ulaştığı 1918 yılının daha gerçekçi kaynaklarına yönelirsek; Tatavla'da genç yaşta ölümlerin fazla oluşu dikkati çekmektedir. Savaş yıllarındaki gıda, ilaç, yakacak sıkıntılarının yanı sıra, İstanbul'da kol gezen salgın hastalıklar ve tüm İstanbul gibi Tatavla'ya da çöken korku ve yılgınlık şüphesiz böyle bir sonucun maddi ve manevi nedenleri arasında sayılabilir.

İstanbul'da haftada iki defa Rumca olarak yayınlanan "Ap Ola" adlı dergide, o günlerin sosyal hayatına ilişkin ilanlara sıkça rastlanmaktadır:

Ailesinin ümitlerini, mutluluğunu, sevgisini üzerinde toplamış olan ve toplum hayatına ilk adımlarını atmaya hazırlanan Stavro İl. Voridos'un geçen Salı günü Tatavla'daki beklenmedik ölümünü üzüntü ile bildiririz. 10-23 Mart 1918, sayı 434

Nikolas Th. Keşişoğlu kısa bir hastalıktan sonra 18 yaşında aramızdan ayrıldı ve Tatavla'da toprağa verildi.

4-17 Nisan 1918, sayı 441

Tatavla cemaatinin geçenlerde düzenlemiş olduğu çay parti-
si hazır bulunanların iyi vakit geçirmelerini sağlamanın ötesin-
de, Tatavla okulları için de iyi bir maddi destek olmuştur.
28 Nisan-11 Mayıs 1918, sayı 450

Ailesini, akrabalarını, arkadaşlarını bu dünyada bırakarak,
kısa bir hastalıktan sonra 3 Mayıs günü aramızdan ayrılan Ahil-
leus A.Fotiladis'in cenase töreni 4 Mayıs günü Tatavla'daki Ayi-
os Dimitrios Kilisesi'nde yapılmıştır.
19 Mayıs-1 Haziran 1918, sayı 456

Beyoğlu'nda mağaza sahibi olan tanınmış tüccar Pavlos An-
tikakis'in kızı Sofia'nın düğünü geçen Pazar günü saat 17'de Ta-
tavla'daki evlerinde yapılmıştır. Pek çok değerli hediye alan ye-
ni evli çifte mutlu ve uyumlu uzun yıllar dileriz.
27 Haziran-10 Temmuz 1918

Beyoğlu'nda Panayia ve Tatavla'daki çeşitli kiliselerde uzun
yıllar baş muganni olarak ilahiler okuyan Timoleon Onufriadis
2 Ekim günü Tatavla'da toprağa verildi.
10-23 Ekim 1918, sayı 497

40 gün önce sadece 22 yaşında iken aramızdan ayrılan ve bu
dünyada bulamadığı mutluluğu göklerde aramaya giden Dimit-
rios Th. Stratopulos'un ruhu için Tatavla'daki Ayios Dimitrios
Kilisesi'nde 9 Aralık günü mevlut okunacaktır.
8-21 Aralık 1918, sayı 514

MÜTAREKE VE İŞGAL YILLARINDA TATAVLA

Osmanlı devletinin 30 Ekin 1918'de Mondros Mütarekesi'ni imzalamasından 6 Ekim 1923'de İstanbul'un yeniden Türk ordusu ve yönetimine teslim edildiği güne kadar yaşanan yaklaşık 5 yıllık dönem, tüm İstanbul'da olduğu gibi; Tatavla'da da derin izler bırakmıştır. Bu, Tatavla halkının büyük çoğunluğunun artık Osmanlı yönetimine tabi olmadan yaşayabileceklerine inandıkları bir zaman dilimidir. İşgal kuvvetlerinin vermiş oldukları güvence ve tavizlere İstanbul sokaklarında dolaşan İngiliz, Fransız, İtalyan ve az sayıda da olsa Yunan askerleri ile Sarayburnu açıklarında demirleyen Yunanlıların Averof zırhlısının verdiği moral de eklenince, Tatavla halkı artık bir çok şeyin eskisi gibi olmayacağı hissine kapılmıştır. Rumca gazetelerin Yunan milliyetçiliğini tırmandıran ve Yunan Başbakanı Venizelos'u azizler mertebesine yükselten övgüleri de bu atmosfere eklenince, Tatavla'ya yeni rüzgarlar esmekte ve birkaç ay önce kimsenin ağzına bile almaya cesaret edemeyeceği fikirler açıkça tartışılır hale gelmekteydi.

Tüm dünyanın iştahını çeken İstanbul, eğer bir şekilde Osmanlıların elinden alınacaksa; bu şehirde Türklerden sonra en fazla nüfusa sahip olan, okulları, hastahaneleri, dernekleri, kiliseleri, yetimhaneleri, hanları, mağazaları, sayısız emlak varlıkları ve de öğretmen, yazar, doktor, mimar, avukat gibi mükemmel eğitim görmüş kadroları ile çok sağlam bir kütle oluşturan, Batı kültürünü ve yaşam tarzını benimsemiş ve de kentin eski sahipleri olan Bizanslılar'ın dil, din ve kan bağı ile mirasçıları olan Rumlar neden bu paylaşmadan hatırı sayılır bir pay almasınlardı?

Böyle tarihi bir gelişme için 500 yıl beklemişlerdi. Venizelos'un iki kıtaya yayılmış ve beş denizle çevrili Büyük Yunanistan'ının sınırları zaten İstanbul'un banliyölerine kadar dayanmışken ve kent halkının yarısına yakını günlük hayatta ve ticarette Yunan dilini rahatça anlayıp, konuşabilirken; bu fikirler de kolayca taraftar bulabiliyordu.

O dönemin yayınlarında, Tatavla halkının oldukça rahat bir döneme girdiği görülmektedir:

1919 yılı içinde Tatavla merkezinde 126, Evangelistrias semtinde ise 73 düğün yapılmıştır. (Eglisiastiki Alithia, 1.2.1920)

Dün akşam, Tatavla'daki Fukaraperver Derneği'nin şık tiyatro salonunda toplanan seyirciler tanınmış Veroni topluluğunun "Ölünün Öpücüğü" adlı güzel oyununu izlediler. Oyunda rol alan ve tiyatroda parlak bir geleceği mutlak olan, Veroniler'in küçük kızı Sofia Veroni, başarılı rolü ile ilgi çekmiştir. Halk Veroniler'in Tatavla'da sadece bir temsil vermiş olmalarından şikayetçidir.
(Hronos, 22.6.1920)

İoannis Hiotellis ve Eleni Sabuncaki nişanlandılar. Tatavla, 28 Haziran 1920. (Hronos, 29.6.1920)

Athanasios D. Zapantis ile Persefoni Kamilli söz kestiler. Tatavla, 28 Haziran 1920. (Hronos, 1.7.1920)

Geçen sene Tatavla'da yaşanan avukat Bodosaki Ortikidis'in öldürülmesi olayının sanıkları suçlarını itiraf ederek, cinayete avukatın ihanete uğrayan nişanlısı tarafından teşvik edildiklerini iddia ettiler. Sanıklardan ikisi idam; üçüncüsü ise 10 yıl hapis cezasına çarptırıldılar. (Hronos, 2.7.1920)

Önümüzdeki Pazar günü, Tatavla'nın merkez kilisesi Ayios Dimitrios'da yeni vefat eden Yunan Kralı Aleksandros'un ruhu için mevlut ayini yapılacaktır. (Hronos, 2.12.1920)

Eleftherios Venizelos'un isim günü şerefine yarın akşam üstü saat 4'de Tatavla'daki Fukaraperver Derneği'nin salonunda düzenlenecek olan kutlama toplantısında film gösterimi ve tiyatro temsili gibi çeşitli kültürel etkinlikler sergilenecektir.

Yunan Dram Kumpanyası dün Tatavla'daki Fukaraperver Derneği'nin tiyatro salonunda "Para" adlı dram ile "Kiralık" adlı komediyi başarı ile oynamıştır. (Hronos, 14.12.1920)

Türk Kurtuluş Savaşı'nın, olayları Anadolu'da Yunanlılar ve Rumlar aleyhine çevirdiği 1922 yılının Ağustos ve Eylül aylarından az önce, 1922'nin ilk altı ayında Tatavla halkının her türlü endişeden uzak sosyal faaliyetlerini, İstanbul'da Rumca olarak yayınlanmakta olan günlük Hronos gazetesinin haberlerinden öğrenmekteyiz:

Daha önce ilan edildiği gibi, Tatavla'daki Fukaraperver Derneği'nin şık tiyatro salonunda dün akşam seyircilerin hayranlıkla izlediği Peresiadu'nun 'Esir Kız' adlı dramı temsil edilmiştir. Derneğin amatör tiyatro bölümünün hazırladığı bu eserde, sahneye ilk defa çıkan genç kızlarımız büyük başarı sağlamışlardır. Temsilden sonra başlayan danslı eğlence, sabahın ikisine kadar sürmüştür. (22.1.1922)

Önümüzdeki pazar günü Tatavla'daki Zaharofio salonunda, akşam üstü dörtten sabahın ikisine kadar sürecek olan danslı bir toplantı yapılacaktır. Buradan sağlanacak gelirin tamamı gece okuluna yardım için ayrılacaktır. (10.2.1922)

Önümüzdeki pazar günü Tatavla Spor Kulübü'nün futbol bölümü, şehrimizde bulunan İngiliz Savaş gemisinin mürettebatından oluşan futbol takımı ile saat birde Ermeni Mezarlığı'nın yanındaki sahada bir maç yapacaktır. (26.2.1922)

Geçen Pazar günü saat ikide, Ermeni mezarlığının yanındaki sahada 2000 kişilik seyirci önünde İngilizlerle yapılan futbol karşılaşmasını bizim Tatavla takımı 1-0 kazanmıştır. (2.3.1922)

27 Mart Pazar günü sabah saat onbirde Tatavla Fukaraperver Derneğinin salonunda Robert Collage'in öğretmenlerinden Bay Nikolaos Sumelidis tarafından "Milli Tarihimizden Alınacak Güncel Dersler" konulu bir konferans verilecektir. Giriş serbesttir. (26.3.1922)

ΟΙΚΟΥΜΕΝΙΚΟΝ ΠΑΤΡΙΑΡΧΕΙΟΝ

ΠΙΣΤΟΠΟΙΗΤΙΚΟΝ ΓΕΝΝΗΣΕΩΣ ΚΑΙ ΒΑΠΤΙΣΕΩΣ

Ὁ ὑποφαινόμενος πιστοποιῶ ὅτι ἐν τῇ ἐνορίᾳ *ἁγίου Δημητρίου Ταταούλων* ἐκ .... *υἱὸν Ἀναστ. Παϊσίου ἐ Μαρ... Μιχ. Γεωργ...* ἐγεννήθη

τῇ *4 Μαρτίου 1911* ὅπερ βαπτισθὲν κατὰ τὰς διατυπώσεις τῆς καθ' ἡμᾶς Ὀρθ. Ἀνατολ. Ἐκκλησίας ὑπ

τῇ *3 Ἰουλίου 1911* ἀνεδέξατο ἐκ τῆς ἱερᾶς κολυμβήθρας *ἡ Μαρία Ἀδ. Κόχ...*

ὠνόμασα *ην Ἑλένην* ἐπὶ παρουσίᾳ καὶ τῶν συνυπογεγραμμένων μαρτύρων.

Ἐν *Ταταούλοις* τῇ *3 Ἰουλίου* 19*11*.

ΟΙ ΜΑΡΤΥΡΕΣ   Ο ΑΝΑΔΟΧΟΣ   Ο ΒΑΠΤΙΣΑΣ ΙΕΡΕΥΣ

Ἀνδρέας ...   *Μαρία Ἀδ. Κόχ...*   *Κυριακὸς Γ. Μ...*

Σωτηρίδης Κουερίνς

4 Mart 1911'de Tatavla'da doğan Eleni Paisiu (Skarlatos) için
3 Temmuz 1911'de Tatavla'daki Ayios Dimitrios Kilisesi tatafından
verilmiş olan vaftiz belgesi.

İSTANBUL'UN KURTULUŞUNDAN SONRA...

Türk ordusunun 9 Eylül 1922'de İzmir'i geri alması haberi tüm İstanbul Rumları gibi Tatavla'yı da sarsmıştı. Bu günleri takiben gelen İzmir yangını ve Ege ile Marmara bölgesindeki yüzbinlerce Rum'un Türkiye'den ayrılmak için perişan bir halde limanlara yığılmalarının söylentileri İstanbul'un diğer kalabalık Rum semtleri Pera, Galata ve Fener'le birlikte Tatavla halkını da ayağa kaldırmıştı. Mütareke ve işgal yıllarında açık şekilde Yunan yanlısı tutum sergileyerek Türkler'in düşmanlığını üzerlerine çeken çoğu iyi eğitimli bir çok Tatavla'lı sıra İstanbul'un kurtuluşuna gelince kendilerinden hesap sorulacağının bilinci içindeydiler. Başta Venizelos yanlısı tutumu ile bilinen Proodos Derneği'nin yöneticileri olmak üzere, öğretmenler, gazeteciler, yazarlar ve yeni Türkiye'de kendileri için parlak bir gelecek görmeyen varlıklı aileler büyük bir hızla Tatavla'yı terkedip, ülke dışına gitmeye başlamışlardı. Böylece her gün Galata rıhtımından kalkan, Yunan ve yabancı bandıralı gemiler Tatavla'nın üst tabakasının büyük bir kısmını İstanbul'dan alıp götürdü. Kimisi Pire'ye, kimisi İskenderiye'ye, kimisi Marsilya'ya yöneldiler. Bu göç kasırgası ve panik sürerken, hâlâ İstanbul'da olan ve Rum halkı yerlerinde kalmaları için ikna etmeye çalışan İngilizlere artık kimse güvenmiyordu. Herkes yakında onların da gideceğini biliyordu. Nitekim de öyle oldu.

Son yabancı askerlerin İstanbul'u terkedip, şehre yeniden Türk ordusunun girdiği 6 Ekim 1923 günü limana toplanan Türklerin sevinç gösterilerine karşı; Tatavla'da tam bir ölüm sessizliği ve korkulu bir bekleyiş gözleniyordu. Türkler az sonra gelip Tatavla'yı ateşe mi vereceklerdi. Katliam mı yapacaklardı. Keşke bütün bu yaşananlar bir kabus olsa ve Türkler'in kendilerine pek karışmadıkları savaş öncesinin günlerine dönmek mümkün olsaydı. Tatavla halkı bu karmaşık duygular içinde kaderlerine boyun eğerken, korkulan olmadı. İstanbul'u geri alan ve sokaklarda çiçek yağmuru altında ilerleyen askerlerin Tatavla'da katliam yapmak gibi bir planları yoktu. Hatta sokaklarda kendilerini Tatavla'ya yürümeleri için kışkırtanları bile yatıştırmışlardı.

Lozan anlaşmasına göre, Tatavla İstanbul'un belediye sınırları içinde olan bir semtti ve bu nedenle halkı mübadele yoluyla zorunlu göçe tabi değildi. Yunanistan'a yığılan göçmenlerin çektiği sıkıntı İstanbul'da duyuldukça; Tatavla halkının çoğunluğu yerinde kalmayı tercih etmişti. Hatta İstanbul'un bazı kenar semtlerinde kendilerini fazla emniyette hissetmeyen Rum aileleri buraya taşınmayı tercih ediyorlardı. Kısa bir durgunluk ve şaşkınlık döneminden sonra büyük fırtına atlatılmıştı. Tatavlalılar da tüm İstanbul'u saran Zito Dimokratia (Yaşasın Cumhuriyet) havasına kendilerini kaptırmışlardı. Tatavla artık eskisi kadar tehlikeli bir semt değildi ve Tatavla meyhanelerine yavaş yavaş Türkler de gelmeye başlamışlardı.

Cumhuriyetin ilk yıllarında Tatavla halkının karşılaştığı en büyük sorun Türkçe meselesiydi. Özellikle kadınların ve çocukların hiç Türkçe bilmedikleri ve şimdiye kadar öğrenmeye de ihtiyaç duymadıkları Tatavla'daki okullara Cumhuriyet hükümeti diğer azınlık ve yabancı okullarla beraber zorunlu Türkçe dersleri koydurmaktaydı. Okullar ise kadro ve fikir yönünden böyle yapılanmaya hazır olmadıkları için zorluk çekmekteydi. Tatavla'daki iki okul Maarif Vekaleti tarafından kendilerinden talep edilen hususları yerine getiremedikleri için kapatılmıştır.

Tatavla'nın Türkçe anlama ve konuşma konusundaki zaafı daha yıllarca sorun olmaya devam etmiştir. 28 Ekim 1927 Cuma günü gerçekleştirilen, Cumhuriyet döneminin ilk nüfus sayımı sırasında sayıma gelen Türk memurlar en basit sorulara bile cevap almakta zorlanmışlardır. 29.10.1927 tarihli Apoyevmatini Gazetesi bu durumu haber yapmıştır. "Halkın Türkçe anlamaması yüzünden nüfus sayım memurları dün Tatavla, Elmadağ, Kalyoncu, Kulluk gibi semtlerde dil konusunda büyük zorluklarla karşılaşmışlardır."

İstanbul'un kurtuluşundan sonra Tatavla'da günlük yaşam basına şöyle yansır:

Apoyevmatini, 4.3.1927

Dün akşam Tepebaşı'ndaki Kışlık tiyatronun şık salonunda, Tatavla okullarına destek için düzenlenen balo İstanbul'un her tarafından gelen seçkin bir kalabalığı toplamıştır. Düzenleme komitesinde Panciri Bey, doktor N.Taptas, Grigoriadis Bey, doktor Vlasis, VI. Mirmiroğlu gibi isimlerin bulunduğu baloya, İstanbul Maarif Müdürü Haşim Bey de şeref vermiştir.

Apoyevmatini, 5. 3. 1927

Önceki gece Tatavla okulları yararına düzenlenen baloda davetli hanımların birbirinden güzel tuvaletleri gözleri kamaştırmıştır. Bunlardan ilk göze çarpanları sıralıyoruz: Madam Katsia olağanüstü pembe Acem kumaşı, Madam Alibranti parlak beyaz, Madam Pastella lame, Madam Grigoriadu parlak arjante, Madam Vakalopulu pembe ipek, Matmazel Taflanidu payetli kremdamur, Madam Fufa beyaz boncuk işlemeli pembe, Matmazel Puplidu drape lame, Matmazel Stamopulu pembe payetli, Matmazel Ksanthopulu pembe ipek, Matmazel Kulakoğlu parlak zonar, Matmazel Nikopulu pembe payetle, Matmazel Keşişoğlu beyaz payetli mavi kremdamur, Matmazel Kasapidu siklamen rengi ipek, Matmazel Teberikoğlu frej ipek, Matmazel Mavrudoğlu yeşil payetli, Matmazel Nikolaidu payetli bordu, Matmazel Sotiriadu pempe ikepli, Matmazel Misailidu payetli krep jorjet, Matmazel Vergiadu payetli pembe tuvaletler giymişlerdi.

Apoyevmatini, 24. 2. 1928

Tatavla okullarına destek sağlama amacı ile dün akşam Pera Palas Oteli'nde düzenlenen balo sabahın ilk saatlerine kadar devam etmiştir. Baloyu İstanbul Valisi Mithat Bey ve eşi ile Belediye Başkanı Muhittin Bey ve eşi, orduyu temsilen Şükrü Naili Paşa da şereflendirmiştir.

Apoyevmatini, 30.1. 1928

Tatavla'nın eteklerindeki yollar tüm kış boyunca aynı görüntüyü veriyor. Papaz Köprüsü civarında yol, yol olmaktan çıkmış durumda. Özellikle geceleri buradan Tatavla'ya gelmek isteyenler çamur, çukurlar ve zifiri karanlıkla karşılaşmaktadır. Tabii bu durumdan yararlanmak isteyecek kötü niyetli kişilere rastlama korkusu da işin cabası. Belediye yetkilileri biraz iyi niyet gösterirlerse; herhalde bu duruma bir çare bulabilirler.

Apoyevmatini, 8. 2. 1928

Dün akşam Tatavla'da trajik bir kaza yaşanmıştır. Ayios Dmitrios Kilisesi'nin önündeki son durakta manevra yapmaya çalışan tramvay, vatmanın dikkatsizliği nedeni ile raydan çıkarak, karşıdaki bir eve çarpmıştır. Kötü bir şans eseri olarak tam o anda yoldan geçen yoğurtçu tramvayla evin arasında kalarak ezilmiştir.

Apoyevmatini, 9. 2. 1928

Önceki gün Tatavla'da meydana gelen tramvay kazası ile ilgili olarak daha etraflı bilgi temin edilmiştir. Hüseyin isimli yoğurtçunun öldüğü kaza, geçen Salı günü saat 18.40'da olmuştur. Tatavla'da son durakta beklemekte olan tramvayın vatmanı ışıklarını yakmak isterken; dalgınlıkla freni boşa almıştır. Bunun üzerine tramvay hızla hareket edip raydan çıkmış ve metrelerce ötede bulunan D.Pandazidis'in ahşap evine çarpmıştır. Olaydan sonra şok geçiren Bay Pandazidis'in eşi Onorina tedavi altına alınmıştır. Bundan 3 yıl kadar önce, Tatavla'da yine bir tramvay kazası olmuş ve raydan çıkan başka bir tramvay aynı ahşap eve çarparak zarara sebep olmuştur.

Apoyevmatini, 24.2. 1928

Tatavla okullarına destek sağlama amacı ile dün akşam Pera Palas Oteli'nde düzenlenen balo sabahın ilk saatlerine kadar devam etmiştir. Baloyu İstanbul Valisi Mithat Bey ve eşi ile Belediye Başkanı Muhittin Bey ve eşi, orduyu temsilen Şükrü Naili Paşa da şereflendirmişlerdir.

Apoyevmatini, 26. 2. 1928

Tatavla'da hareket halindeki tramvaydan yere atlamak isteyen İonnis isimli bir şahıs düşerek ağır yaralanmıştır.

Apoyevmatini, 20.3. 1928

Dün Tatavla'da Apostol isimli bir şahsın evinde çıkan yangın fazla büyümeden söndürülmüştür.

Apoyevmatini, 4. 9. 1928

Dün saat 15.00 civarında Tatavla'nın eteklerinde, Evangelistrias Kilisesi'nin yakınındaki Bilezik Sokağı'nda yangın çıktı. Gaz ocağının parlamasından çıktığı söylenen yangın 3 ahşap evin kül olmasına sebep oldu.

Apoyevmatini, 8. 11. 1928

Yarın Ayios Dimitrios Yortus nedeni ile, Tatavla'daki Aylios Dimitrios Kilisesi'de yapılacak olan dini törene Patrik Vasilios Hazretleri de şeref vereceklerdir.

BÜYÜK TATAVLA YANGINI

Birkaç bina dışında, hemen tümü birbirine yapışık ahşap evler ve bahçelerden oluşan Tatavla'da sık sık yangın çıkardı. Sadece 20. yüzyılın ilk yıllarında 1905*, 1907, 1909 ve 1912'de** oldukça önemli yangınlar yaşanmış; ancak bunların hiçbirinde yanan bina sayısı 20-30'u geçmemiştir.

21 Ocak 1929 Pazartesi gecesi meydana gelen yangın, İstanbul'un en şiddetli kışının yaşandığı günlerde karlı ve buzlu bir gecede, hiç beklenmedik bir anda Tatavla'nın büyük bir bölümünü kül ederek bu tarihi ve geleneksel Rum semtini perişan ettiği için çeşitli tartışma ve yorumlara sebep olmuştur.

Türk kaynakları kaza ile çıkan bu yangının söndürülmesi için itfaiyenin büyük çaba harcadığını, ancak ağır kış koşulları ve İstanbul'un her dönemde yaşadığı susuzluk sorunu gibi nedenlerle Tatavla'nın dik ve dar yokuşlarına, merdivenli sokaklarına dizilmiş olan ahşap evlerinin kurtarılamadığını ifade etmektedirler.

Bazı Yunan kaynakları ise, yangının fazla büyümeden söndürülme şansı olduğu halde itfaiyenin kasıtlı olarak işi ağırdan aldığını ve İstanbul'un göbeğinde bulunan, Türkler'in "Küçük Atina" adını verdikleri bu Rum semtini kurtarmak için fazla istekli olmadıklarını yazmaktadır. Tüm İstanbul Rumlarını ve Yunan basınını ayağa kaldıran bu yangının Türkleri pek üzmediğini vurgulayanlar da vardır.

Yangından sonra semte belediye tarafından "Kurtuluş" adının verilmiş olması da iki yönden yorumlanmaktadır. Neden "Kurtuluş" yangından mı? Rumlardan mı? Büyük yangından

*Önceki gece Tatavla'da Mumcu Sokağı'nda derici Kostaki'nin evinde çıkan yangın sonucu sekiz ev, iki bakkal dükkanı, bir kahvehane ve bir dükkan yanmıştır. Yangını haber alan Padişah, bir an önce söndürülmesi için çaba sarfedilmesini istemiştir. (Tahidromos Gazetesi, Konstantinupolis, 1.3.1905)

** 22 Mayıs 1912 günü Tatavla'da çıkan yangında 5800 metrekarelik alan içinde 30 ahşap ev yanmıştır. (Ap Ola Mecmuası, Konstantinupolis, 13-26 Haziran 1918)

hemen birkaç ay sonra semtin ismi İstanbul'un Rumca basınında Kurtuluş (Tatavla) şeklinde yazılarak geçmeye başlamıştır.

O günlerde İstanbul'un önde gelen gazetelerinden İkdam, olayı birinci sayfasında manşet yaparak şöyle duyuruyor:

Tatavla Kamilen Yandı

Bir kıvılcım yüzünden dün gece Tatavla'da tahminen 300 kadar ev cayır cayır yandı. Dün gece saat 9.30'da Tatavla'da Aya Tanaş sokağında, bakkal Lazari'nin evinden soba kıvılcımından yangın çıkmış ve ev yanmaya başlamıştır. Yangın, esen rüzgarın şiddetinden hemen bütün Tatavla'yı tehdit etmeye başlamıştır. Bu meyanda, Araba Meydanı, Kabir sokakları yanmaya başlayınca, itfaiye kumandanı İhsan Bey merkez kumandanlığına müracaat ederek, beşinci alaydan muavenet talep etmiş ve sekiz manga asker berayı muavenet yangına gitmiş ise de, ateşin şiddetinden muavenet imkansız kalmıştır. Merkez kumandanı Emin Paşa, Halıcıoğlu'ndaki istihkam bölüğünden tahrip danelerini hamil gelmiş bir miktar asker istemiş ve yangının Kasımpaşa'ya doğru ilerlememesi için bir kaç evi bomba ile tahrip etmiştir.

Gece saat 3.30'da yangın, dört kol üzerinden Dolapdere'yi de yakmaya başlamıştır. Yangın o kadar şiddetle devam ediyordu ki, itfaiye gurubu patlak hortumları ve çok az su ile şaşkın vaziyette, ne yapacağından aciz bir halde şuursuz boş teşebbüslerle çırpınıyordu. Yangının başlangıcında mahalle tulumbaları, evvelce yapılan bir ihtar üzerine itfaiye gelmedikçe musluklarını açmamışlardır. Bugün hemen hemen Tatavla kamilen yanmıştır. Havanın karlı ve çok rüzgarlı olmasından harikzadeler, hemen hemen canlarından başka bir şey kurtaramamışlardır. Çoluk çocuk karlar üstünde çırılçıplak mecalsiz kalmıştır. Yangından kaçmak isteyenler, buzlar üzerinden düşe kalka, ağlaya sızlaya, nereye gideceklerini bilmeden, bu facia mahallinden uzaklaşıyorlardı. Yangın bir neferi ağır surette yaralamıştır. Sabah saat 5'de yangın elan devam etmekteydi. Vaktin geç olması, daha fazla tafsilat alınmasına mani olmuştur. Bütün itfaiye gurupları, yangını söndürmeye iştirak etmişlerdir.

İkdam Gazetesi, 22 Ocak 1929 Salı.

Tatavla Yangını

Tahkikata devam ediliyor. İtfaiye geç kalmıştır. Musluklarda su bulunmamıştır. Yanan evlerin 500 kadar olduğu anlaşıldı. İstanbul'un bu yakın senelerden beri görmediği derecede vasi olan Tatavla yangını, muhtelif sebepler dolayısıyla vaktinde bastırılamamış ve bu yüzden bugün binlerce ihtiyar, çocuk, hasta kışın bu karlı günlerinde yurtsuz kalmışlardır. İki gün evvel mesut yuvalarında terekküp eden Tatavla, şimdi yer yer enkaz harabeleri ve hâlâ tüten bir yığın külden ibarettir. Tüm siyah duvarlar, boşluktan sivrilen çatı ve baca iskeletleri içinde ağlayan kadınlar, unutulmuş kıymetli bir eşyayı aramak için sıcak külleri karıştıran zavallı insanlar dolaşıyor. Yangının çıktığı Hacı Ahmet Mahallesi tamamen yanmıştır. Tatavla'dan Dolapdere'ye kadar imtidat eden bu mahallenin havi olduğu 450/500 kadar hanenin hepsi muhterik olmuştur. Yangın Hacı Ahmet Mahallesinin 47 numaralı hanesinden çıkmıştır. Hane sahibi, aynı sokakta bakkallıkla müştagil Yani namında bir adamdır. Yani, kaçak rakı imalinden dolayı gerek evi, gerek dükkanı müteaddit defa basılmış ve cürm-ü meşhudu tespit olunmuş bir kaçakçıdır. Tahmine göre, Yani yine evinde rakı çekmekle meşgul iken, herhangi bir sebeble yangın çıkarmıştır. Yangını görenler hemen itfaiyeye haber verecekleri yerde, el birliği ile yangını söndürmek istemişlerdir. Ahşap ve kav gibi evlerden mürekkep mahalle bütün bütün yanmak tehlikesine maruz kalınca itfaiyeyi haberdar etmek o zaman akla gelmiştir. Hemen faaliyete geçen itfaiye, yine terkos borularını boş bulmuştur. Her yangında sanki kasten yapıyormuş gibi borularında bir damla su bırakmayan ve her sebebiyet verdiği haileden sonra yapılan hücumlara rağmen; esaslı hiç bir terziye görmeyen Terkos Kumpanyası yine mutat veçhile suyu kesmişti. Ve bittabi susuz kalan itfaiye elleri böğründe yangını seyretmek vaziyetinde kalıyordu. Yapılacak iş, daha o zaman kabili tahdit olan yangının etrafını birkaç ev feda etmek sureti ile çevirmek ve facianın önüne geçmekti. Fakat bu yapılmadı. Emanet heyeti fenniye müdürü Ziya Bey diyor ki: "Bermutat su yoktu. Çok geç su geldi. Fırtına da dehşetli idi. Sokaklar çok dar, evler hemen kamilen ahşap idi." *İkdam Gazetesi, 23 Ocak, 1929 Çarşamba.*

Vali diyor ki: Su şirketi şimdi adliyeye hesap versin!
Tahribat anlaşıldı. 212 ev, 17 dükkan ve 1 eczane yandı.

Tatavla yangını hakkında yapılan tahkikat henüz ikmal edilmemiştir. Gerek bakkal Yani, gerekse kayınpederi demirci Aleko ve efradı ailesi el-yevm polis müteferrikasında bulunmaktadır. Yangının denildiği gibi kaçak rakı imali esnasında zuhur edip etmediği tahkikat neticesinde tebeyyü edecektir. Yanan evlerin ve dükkanların ekserisi sigortasız bulunmakta idi. Yangını müteakip itfaiyeye derhal haber verilmemiştir. Mahalleli mevcut emirler hilafına, kilisede bulunan tulumba ile yangını söndürmeye çalışmış ve işi büsbütün berbat ettikten sonra itfaiyeye haber vermişlerdir. İtfaiye harik mahalline gittikten bir buçuk saat sonra Terkos, su koyuvermiştir. Bu su da tüm makineleri tam manası ile işletecek derecede değildi. Bu sebeplerden başka, yangının bu derece tevessüüne hava ve sokaklar da amil olmuştur. Bir kere yangın tepeden çıktı. Burası Okmeydanı'ndan kopup gelen rüzgarlara karşıdır. Evler hem kamilen ahşap; sokaklar motorlarımız işlemeyecek kadar dardır. Yangın yerinin en geniş sokağı 3 metre idi. Bundan başka bütün sokaklar, yokuş ve kaldırımlar bozuk ve kızaksız kayılabilecek kadar buzlu, hava en az üşüyenleri bile donduracak kadar soğuktu.

Bütün bunlara rağmen, itfaiyemiz emsali namesbuk bir derecede çalışmıştır. İtfaiyecilerden birisi mesanesi patlayarak ölmüş, beşinin ise gözleri esaslı şekilde hastalanmıştır. Diğer taraftan itfaiye kumandanlığı Tatavla yangını hakkında bir rapor tanzim etmiştir. Bu rapora göre, yangın tahminen 21.30'da başlamış, fakat haber verilmemiştir. 22.03'te Tatavla'da bir haneden Galata Kulesi'ne yangın ihbarı yapılmış, yoğun tipi yüzünden Galata Kulesi yangını 22.07'de görebilmiştir.

İkdam Gazetesi 24 Ocak 1929, Perşembe

Terkos Şirketi Müdürü Mösyö Castelno ile Rum Mütevelli Heyeti dün polise davet edildiler.

Diğer taraftan İstanbul'un şimdiye kadar geçirdiği binbir felaket karşısında seyirci vaziyette kalan İngiltere Sefarethanesi, bu defa harikzadelere yardım etmek lüzumunu hissetmiştir. İngiliz Sefiri'nin refikaları Madam Clark tarafından Rum zenginlerine müracaat edilmek üzere bir yardım heyeti teşkil edilmiştir.

İkdam Gazetesi, 26 Ocak. 1929.

Tatavla Yangını Yunan Basınına da Yansıdı:

İstanbul'da büyük yangın.

Şiddetli rüzgar ve kar. fırtınası ile birlikte, halkı tamamen Rum olan Tatavla semtinin büyük bir bölümü kül oldu. İstanbul'da tamamen Rumların oturduğu Tatavla semtinde dün gece çıkan ve büyük tahribata sebep olan yangın nedeni ile sarsıldı. Yangın, şiddetli kar fırtınası arasında, Ayios Athanasios Sokağı'ndan başladı. Evlerin tamamının ahşap ve eski olması ve buna ilaveten şiddetli rüzgar ve kar fırtınası semt sakinlerinin yangını söndürme çabalarını boşa çıkardı.

Kısa bir süre içinde, Ayios Athanasios Kilisesi civarındaki tüm evleri kül eden yangın, Tatavla'nın ortası sayılan Araba Meydanı'na ulaştı. Yangında 500 kadar evin kül olduğu zannediliyor. Tüm olumsuz koşullara rağmen, insanüstü bir çaba ile Ayios Dimitriso ve Ayios Athanasios Kiliseleri ile Rum Okulu yangından kurtarıldı. Okulun arkasındaki binalarla, içinde güzel bir kışlık tiyatro salonu da bulunan Fukaraperver Derneği binası yandı. Yangın Tatavla'nın eteklerindeki Evangelistrias Kilisesi'nin arkasına kadar uzanarak o yönü de kül etti. Yangın süresince dramatik sahneler yaşandı. Çoğu fakir insanlardan oluşan 700'den fazla aile kar ve soğuğa teslim olarak evsiz kaldı. Türk makamları, yangın karşısında büyük iyiniyet ve ilgi göstererek, yangın felaketzedeleri için tedbirler aldı. Yangından sağlam kalan evler, sokaklarda kalan kadın ve çocukları evlerinde misafir ediyorlar. Yangının sebebi konusunda bugün incelemeler başladı.

Eleftheron Vima Gazetesi, 23 Ocak 1929, Atina, 6.sayfa.

Yangın nüfusun tamamı Rum olan semtin büyük bir kısmını kül etti. Tatavla başlıbaşına bir tarih ve efsane idi. Burası şimdiye kadar son yılların çeşitli olaylarına rağmen Rum karakterini koruyan küçük bir kasaba gibiydi. Cumbalı eski ahşap evleri ve eğri büğrü taş döşeli dar sokaklarının dışında semtte, burasının Şark olduğunu hatırlatacak bir tek minare bile yoktu. Ahşap evlerin balkonları her zaman çiçek dolu saksılarla kaplıydı. Evlerin aralarında küçük bahçeler ve çardaklar vardı. Halkı Rum milletinin en olumlu yönüne uygun olarak çok çalışkandı. *Eleftheron Vima, 24 Ocak 1929, Atina, 6.sayfa.*

Bağış Toplanamadı

Türk makamları yangın felaketzedelerine yardımcı olunması amacı ile yapılan bağış toplama çalışmalarına izin vermediler. Vilayetin yangın felaketzedelerine yardım için para toplama kampanyasına izin vermemesi üzerine yapılan yardımlar çok yetersiz kaldı. İstanbul'da yayınlanan "Akşam Gazetesi"ne göre yangının büyümesinde suçlu görülen Rum Mütevelli Heyeti gözaltına alındı. Havas ajansı, İstanbul'dan aldığı bir telgraf haberine dayanarak, Tatavla yangınının büyümesinde ihmali görülen Sular İdaresi'nin Fransız asıllı müdürünün de tutuklandığını bildirmektedir.

Türkler, Tatavla yangını felaketzedelerine yapılan yardımları engelliyor. Türk makamlarının yangın felaketzedelerine karşı tutumu, İstanbul Rum azınlığını büyük bir endişeye sevk ediyor. Bu olumsuz davranışların asıl amacının İstanbul Rumlarının ülke dışına göçünü sağlamak olduğu anlaşılıyor.

Eleftheron Vima Gazetesi, 29 Ocak 1929, Atina, 6. ve 8 sayfa.

Yanan Tatavla

İstanbul'un en yoğun Rum nüfuslu semti Tatavla'nın artık yarısı yok. Tepenin tamamı, Ayios Dimitrios Kilisesi'ne giden yön tamamen yerle bir olmuş durumda. çölde bir vaha gibi kalan Köyiçi'nin bir bölümü dışında bir harabe ve kül yığını halinde. Tam 10 saat süren yangın süresince eski ve ahşap evler alevler tarafından adeta yutuldu. Ayrıca o gece esen şiddetli kuzeybatı rüzgarı da etkiliydi. Yangın Evangelistria Kilisesi ile Yenişehir'i sardığı zaman Pera'ya sıçrama tehlikesi belirdi. Bu bölgedeki bir çok evin bomba ile havaya uçurulması sonucu yangının Pera'ya sıçraması önlendi. Su kıtlığı, şiddetli rüzgar ve itfaiyenin yangının merkezi hakkındaki tereddütleri, felaketin kimsenin tahmin edemeyeceği korkunç boyutlara varmasına neden oldu. Yangın yerinden fırlayan kor parçaları semtin her tarafına saçılarak yangını büyüttü.

O korkunç yangın gecesi kelimelerle anlatılamaz. Ortalık adeta Dante'nin cehennemini andırıyordu. Halk ateşten önce canını kurtarmak için kaçıyordu. Bazılarının ellerinde ise şaşkınlıkla kapılmış ve kurtarılması hiç de gerekli olmayan değersiz eşyalar vardı. Karlı sokaklarda yarı çıplak insanlar bağrışarak kocalarını, çocuklarını ve ihtiyarlarını arıyorlardı. Bütün bu olumsuz şartlara, yaşanan büyük felakete ve şoka rağmen Tatavla halkının birbiri ile yardım ve dayanışması İstanbul'da gerek Türklerin gerekse yabancıların takdirine neden oldu. Yangından sonra hiç kimse sokakta bırakılmadı, dernek ve okul binalarına ya da sağlam kalan evlerdeki ailelerin yanlarına yerleştirildi. İstanbul'un her semtindeki Rumların dışında, İngiltere ve Amerika yetkilileri de yangına büyük ilgi gösterdiler. İngiliz ve Amerikan konsolosları Tatavla'yı ziyaret ederek incelemeler yaptılar.

Başlangıçta Türk makamları da yangına karşı hassasiyet gösterdiler. Ancak işe yabancıların da karışması üzerine söylentiler fazlalaştı. Türk basınında yangınla ilgili olarak suçlayıcı yorumlar yapıldı. Tatavla Rum Cemaatinin Mütevelli Heyeti yangını zamanında itfaiyeye haber vermemek suçlaması ile gözaltına alındılar ve sorgulanmak üzere bütün gece Emniyet Müdürlüğü'nde alıkonuldular. Şüphesiz Mütevelli Heyetinin polis ya da muhtar gibi resmi bir sorumluluğu olamaz. Önemsiz de görülse, bu olay gereksiz ve üzücüdür.

Akropolis Gazetesi 29 Ocak 1929, Atina, 5. sayfa.

Büyük yangınla ilgili olarak Selanik gazetelerinden **"Efimerida Ton Valkanion"**, **"Makedonika Nea"** ve İstanbul'da Rumca yayınlanan **"Apoveymatini"** gazetesi de günlerce ayrıntılı olarak okuyucularına bilgiler verdiler.

YANGINDAN SONRASI

Yangından sonra, Tatavla semtine resmi olarak Kurtuluş adı verildi. Rumca sokak isimleri de Türkçeleri ile değiştirildi. Büyük yangın sırasında evlerde meydana gelen zarara karşılık, okul, kilise, spor kulübü gibi kamu binalarının kurtarılmış olması, Tatavlalılar tarafından mucize olarak nitelendirilmekteydi.

Kurtuluş'ta 1930, 1940 ve 1950'lerde yine büyük çoğunlukla Rumlar oturmaya devam etti. Ancak yavaş yavaş diğer azınlıklar ve Türkler de buraya yerleşmeye başlamıştı. Fener Rum Patrikhanesi'nin 1949 yılında kilise cemaatleri yoluyla yaptığı tahmini sayıma göre Kurtuluş'ta 300, eteklerindeki Dolapdere ve Yenişehir'de ise 1154 Rum ailesi yaşamaktaydı.* Bunu o dönemde bölge okullarındaki öğrenci sayısından da anlıyoruz.**

6-7 Eylül 1955 olayları İstanbul'un her semtinde olduğu gibi, bu kalabalık Rum mahallesinde de dehşete sebep olmuştur.

1964 kararnamesi ile Türkiye'de yaşayan Yunan uyruklu Rumların sınırdışı edilmesi ve onlarla akrabalık ve iş ilişkileri içinde bulunan Türk vatandaşı Rumların da Yunanistan'a göçe başlaması Kurtuluş'un Rum nüfusunu hızla eritmiştir.

1970, 1980, 1990'lı yıllar Kurtuluş'un hızla büyük bir sosyal ve etnik değişime uğradığı dönemdir. Başka bir deyişle İstanbul'un her semtinin yaşamakta olduğu değişimi Kurtuluş da yaşamıştır. Yerli halkının önemli bir bölümü yurtdışına göç ederken, yerlerini Anadolu'dan gelenler doldurmuştur. Tatavla'nın ayakta kalmış eski binaları birer ikişer sahip değiştirip, yerlerini kalitesiz apartmanlara bırakırken, yaşam tarzı da 100 yıl önceki Tatavlalıların akıllarına gelmeyecek kadar değişmiştir.

Bugün semt, kiliseleri, ayazmaları, Rum İlkokulu ve Spor Kulübü ile hâlâ bakımlı bir şekilde ayaktadır. Bütün bu hikayeden geriye kalan bir avuç Rum cemaati de eski Tatavla'nın buruk bir anısı olarak Kurtuluş'da yaşamaya devam etmektedir.

---

*İ. Teleftea Analambi Kosta M. Stamatopulos Atina, 1996 s.290.
**İ. Teleftea Analambi Kosta M. Stamatopulos Atina, 1996 s.297.

KARMA MÜBADELE KOMİSYONU'NUN DUYURUSU

Tatavla ve Yenişehir (Evangelistria) mıntıkasında sahipsiz bulundukları gerekçesi ile Türk Hazinesi'ne intikal ettirilmek üzere Karma Mübadele Komisyonu'nun listesinde 50'den fazla ev, arsa ve dükkan bulunmaktadır. Duyuru şöyledir:

"Kaçaklara ait oldukları gerekçesi ile el konulacak olan gayri menkullerin listesi aşağıya çıkarılmıştır. Bu gayri menkuller, Ankara Anlaşması'na göre, geri dönme hakkı olmayan kişilere (kaçak) ait olduğundan, el konulmaları istenilmektedir.

Listede isimleri belirtilen kişilerin veya bunların kanuni mirasçılarının çoğu muhtemelen bu mallar kendilerine intikal ettiği zaman; yani 23 Temmuz 1930'dan önce İstanbul'da yerleşik olarak bulunmaktaydı. Bu kişiler Yunan, ya da başka yabancı devletin vatandaşı da olabilirler. Bu durumda yanlışlıkla kaçak olarak nitelendirilmiş olacaklardır. Bunun düzeltilmesi için, aşağıda belirtilen gayri menkullerle ilişkisi olan şahısların en geç 30 Haziran 1934 gününe kadar ellerindeki tapu ve veraset belgeleri ve de kimlikleri ile Beyoğlu İstiklal Caddesi No.213'deki Mavrokordato Konağı'nda çalışmalarını sürdüren Karma Komisyon'un Yunan Temsilciliği'ne mülkiyet haklarının korunabilmesi için başvurmaları rica olunur.

Bu liste yayınlandıktan sonra, gayrı menkullerin bulundukları semtlerdeki kiliselerin girişlerine asılacaktır. 30 Haziran 1934'den sonra listede belirtilen tüm emlak Türk Hazinesi'ne intikal edecek ve Karma Komisyon hiçbir girişimde bulunamayacaktır."

Kayıt No.	Mal sahibi	Gayrimenkulün cinsi	Adresi
414	Spiro oğlu Kons. İgumenidis	Ev	Direkçibaşı sokak 68
440	Eleni	Ev	Saatçi sokak 25
4655	Nikola Ağa	Dükkan	Aya Kiryaki sokağı 34
6492	Dimitri oğlu Tanasi	Dükkan	Kömürcü sokağı 1/3
6708	Stiliani, Sokratis ve Fotini	Ev	Çeşme meydanı 68/70
6712	Dimitri eşi Olimbia	Arsa	Kosti Kalfa sokağı 5
7788	Dimitri oğulları Pandeli ve Dimitro	Arsa	Aya Tanaş sokağı 57
7812	Katerine mirasçıları Pani, Olga ve Eleni	Ev	Araba Meydanı 56/58
7881	Kosti, Hristo, Stavro, Sofia, Mhali ve Vasili	Ev	Çapata sokağı 29/31
7980	Harikla, Tanasi	Ev	Araba Meydanı 33/35
7983	Dimitr mirasçıları Nikola, Andrea ve Sofia	Ev	Su Yolcu sokağı 7
8182	Dülger Dimitri eşi Maria	Ev	Yamandi sokağı 38-48
8253	Yani oğlu Frangulakis	Ev	Araba Meydanı 44
8254	Yani oğlu dülger Nikola	Ev	Kuyucu sokak 20
8280	Panayot kızları Artemisia ve Froso	Ev	Yamandi sokak 19
8434	Kosti kızı Angeliki	Ev	Çapata sokağı 25-35
8476	Marangoz Temistoklis	Ev	Yokuşbaşı sokağı 16
8481	Yorgo mirasçısı Konstantinos	Ev	Araba Meydanı 60
8538	Hacı Panayoti mirasçıları Anika ve Andrea	Ev	Aya Tanaş sokağı 7
8542	Dülger Konstantinos mirasçıları Niko ve Evangelia	Ev	Akarca yokuşu 3
8548	Elisavet Papayani	Ev	Ayazma sokağı 10
8565	Domna	Ev	Yokuşbaşı sokağı 25
8606	Andonios mirasçısı Yeorgios	Ev	Direkçibaşı sokak 14
8622	Katingo	Ev	Mimar Andrea sokağı 9
8626	Anastasia, Nko, Despina	Ev	Lazari sokağı 20
8631	Marios mirasçıları Theodoros, Mihal, Marika	Ev	Salhane sokak 20
8904	Yovan Cingözoğlu	Arsa	Direkçibaşı sokak 86
10127	Kasap Hristo mirasçıları Yani ve Yorgi	Ev	Değirmen sokak 53/55

Kayıt No.	Mal sahibi	Gayrimenkulün cinsi	Adresi
10141	Despina mirasçıları Eleni ve Sotiri	Ev	Mimar Andrea sokağı 26
10623	Angelki mirasçısı Koço	Ev	Yamandi sokak 7-9
10677	Dionisios mirasçıları Eftalia, Yani ve Koço	Ev	Yeni Kilise sokağı 40/42
10678	Aristotelus mirasçıları Yanula; Eleni ve Maria	Ev	Despot sokak 2
10679	Bahçevan Aleksi oğlu Mihali	Ev	Marki Kalfa sokağı 12
10808	Froso mirasçıları Nikoli, Andoni ve Marigo	Ev	Bekçi sokak 7
10809	Eleni ve Froso	Ev	Kethüda sokak 41
10810	Yorgo eşi Froso	Ev	Yokuşbaşı sokağı 21
10830	Despna mirasçısı Andoni	Ev	Direkçibaşı sokak 21
10832	Kunduracı Koço	Ev	Bekçi sokak 16
11021	Yani ve Koço	Ev	Direkçibaşı sokak 51
12092	Maria ve mirasçıları	Ev	Yokuşbaşı sokağı 33/35
13250	Koronia ve Katerina	Ev	Çeşme Meydanı 23
13704	Theodoros Efendi	Ev	Tulumbacı sokak 28
13783	Konstantinos	Ev	Kavurma sokak 56/60
13785	İzidoridis	Ev	Direkçibaşı sokak 27
451	Duvarcı Aristidis mirasçıları	Ev	Rızapaşa sokağı 39
621	Andrea ve Tanasi	Ev	Kilise sokağı 42
1234	Kalliopi Kiriaku	Ev	Akarca Yokuşu 26
1310	Eftimia Yorgiu	Ev	Kasap sokak 28
7083	Yorgi ve Eleni mirasçıları Maria, Toma, Hariklia	Ev Ev	Kilise sokağı 11
7095	Hrisanti	Ev	Rızapaşa sokağı 29
8991	Duvarcı Yorgi mirasçıları Zisi, Andon, Hristo	Ev	İstifçi sokak 7
9571	Yani ve İlia	Ev	Papaz Köprüsü 15-17
10256	Toma ve mirasçıları	Ev	Papaz Köprüsü 27
8243	Tuhafiyeci Panayot oğlu Andonios	Ev	Çeşme Meydanı 26
9922	Hacı Nikola mirasçıları Despina, Zafiro, Argiro ve Atina	Ev	Mimar Andrea sokağı 20
7092	İoannis mirasçıları Hrisi, Olimbia ve Anastasia	Ev	Kasap sokak 42

Türkçe'de Rumca asılları gibi kullanılan bazı dini terimler:

Aforoz: Bir Hıristiyanın işlediği ağır bir suçtan dolayı kilise tarafından yargılanarak dini cemaatten atılması, dışlanması.

Amvon: Kiliselerde bulunan ve minber işlemini gören vaiz kürsüsü. Mermer veya ahşap olabilir.

Aya, Ayios, Agios: Ortodoks kilisesinin (erkek) azizlerinin isimlerinden önce kullanılan saygı kelimesi.

Aya, Ayia, Agia: Ortodoks kilisesinin (kadın) azizelerinin isimlerinden önce kullanılan saygı kelimesi.

Ayazma: Bir azizin veya azizenin adına ithaf edilmiş olan ve hastalıkları iyi geldiğine inanılan; adaklar adanan şifalı su kaynakları.

Epitafios: Paskalya'dan önceki Büyük Hafta'da düzenlenen Hz. İsa'nın temsili cenaze töreni ve buna ait kilise eşyası.

Hristos: Ortodoks Hıristiyanların Hz. İsa'ya verdikleri isim.

İkona: Ortodoks Hıristiyanların kiliselerinde ve evlerinde bulunan aziz ve azizelere ait resimler.

İstavroz-Stavroz: Hz. İsa'nın can verdiği çarmıhı temsil eden ve Hıristiyanlığın sembolü olan haç.

Metropolit: Büyük bir semtin veya bölgenin bağlı olduğu en üst düzey Ortodoks din adamı.

Papaz: Bir kilisede görevli olan ve çeşitli günlük dini işlemleri yapan Ortodoks din adamı.

Panaiya: Ortodoks Hıristiyanların Meryem Ana'ya verdikleri isim.

Paskalya: Hz. İsa'nın çarmıha gerilmesi ve bunu takiben dirilerek göğe yükselmesinin anıldığı en büyük Ortodoks dini bayramı. Her yıl Nisan veya Mayıs ayları arasında değişen bir tarihte kutlanır.

Temblo: Kiliselerde dua edilirken dönülen Doğu yönündeki büyük mihrap. Ahşap veya mermerden yapılmış olan Temblonun üzerine Hz. İsa ve Meryem Ana başta olmak üzere, kilisenin ithaf edilmiş olduğu aziz veya azizenin ikonası ile diğer büyük azizlerin ikonaları yerleştirilir.

Thronos: Kilisede dini ayinler sırasında töreni yöneten veya törene katılan yüksek düzey din adamının oturduğu veya durduğu, birkaç basamakla yükseltilmiş taht.

Vaftiz: Yeni doğan bebeklerin, kutsal su ve yağ ile kutsanarak Hıristiyan dinine kabul edilmesi, isimlerinin konulması töreni.

Yortu: Ortodoks Hıristiyanların dini bayramlarına verilen genel isim.